Pilates

ALYCEA UNGARO

Pilates

10 semaines pour un nouveau corps

 **Broquet**

97-B, Montée des Bouleaux, Saint-Constant, PQ, Canada J5A 1A9,
Tél. : (450) 638-3338 **Fax :** (450) 638-4338
Internet : http://www.broquet.qc.ca
Courriel : info@broquet.qc.ca

UN LIVRE DE DORLING KINDERSLEY
www.dk.com

Catalogage avant publication de la Bibliothèque et Archive Canada

Ungaro, Alycea

   Pilates

   Comprend un index.

   Traduction de: The Pilates promise.

   ISBN 2-89000-665-4

   1. Pilates, Méthode. 2. Exercice. 3. Condition physique.
I. Titre.

RA781.4.U5314 2005   613.7'1   C2004-941575-1

POUR L'AIDE À LA RÉALISATION DE SON PROGRAMME ÉDITORIAL, L'ÉDITEUR REMERCIE :
   Le Gouvernement du Canada par l'entremise du Programme d'Aide au
            Développement de l'Industrie de l'Édition (PADIÉ) ;
   La Société de Développement des Entreprises Culturelles (SODEC) ;
   L'Association pour l'Exportation du Livre Canadien (AELC).

Titre original :
The Pilates promises

Première édition en 2004 en Grande Bretagne
publiée par Dorling Kindersley Limited
80 Strand, Londres WC2R ORL
Un éditeur membre de Penguin Group (UK)

Copyright © 2004 Dorling Kindersley Limited
Copyright © 2004 Alycea Ungaro pour le texte

Pour le Québec :
Copyright © Ottawa 2005 Broquet inc.
Dépôt légal — Bibliothèque nationale du Québec
1e trimestre 2005

ISBN 2-89000-665-4

Imprimé à Singapour par Star Standard

SOMMAIRE

INTRODUCTION

Ce livre vous propose de muscler et assouplir votre corps en seulement dix semaines. À raison de trois séances sérieuses par semaine, l'application de ces programmes spécifiques améliore de manière spectaculaire la condition physique de la zone corporelle sur laquelle vous avez décidé de faire porter vos efforts. En effet, à l'issue de ces 30 séances, vous verrez et sentirez la différence dans tout votre corps, quel que soit le programme choisi.

INTRODUCTION

J'aime enseigner le Pilates. Je suis ravie chaque fois qu'une personne réussit quelque chose, perçoit une sensation nouvelle, ou accomplit un exercice qu'elle était incapable d'exécuter auparavant. J'aime rechercher dans le vocabulaire les mots justes pour expliquer le mouvement à opérer. Mon objectif est de savoir qu'ils deviennent une manifestation physique permettant de gagner en force et en bien-être. Dans *La Promesse de Pilates*, ma joie à faire connaître cette discipline n'est dépassée que par les extraordinaires résultats obtenus par nos démonstratrices, réussite qui sera également la vôtre, j'en suis convaincue.

"En 10 séances, vous sentirez la différence ; en 20 séances, vous verrez la différence ; et en 30 séances, vous aurez un corps tout neuf". Cette phrase est devenue ce qu'il est convenu d'appeler la promesse de Pilates. Elle a probablement incité plus de gens à pousser les portes des ateliers Pilates présents dans le monde que n'importe quelle autre annonce publicitaire. Mais est-ce vraiment possible? Lorsque Joseph Pilates offrait cette garantie, on peut supposer qu'elle était conditionnée par la mise en pratique de l'intégralité de sa méthode, ainsi que par l'emploi des appareils et accessoires auxquels elle fait appel. Il était capable de former sérieusement un grand nombre d'élèves en leur faisant uniquement exécuter ses exercices au sol. Dans cet ouvrage, nous verrons s'il tient sa promesse. Tout ce qu'il vous faut, c'est une pointe de curiosité, un brin de discipline et un lieu où vous pourrez vous étendre par terre ; c'est aussi simple que cela.

DÉCOUVREZ VOTRE CORPS

Votre corps est un présent. C'est votre seul objet vraiment précieux. Quiconque a souffert d'une pathologie débilitante ou d'un traumatisme prolongé vous dira qu'aucune somme d'argent, fut-elle importante, ne peut remplacer une bonne santé. Pour commencer à vivre sainement, vous devez comprendre et apprécier à leur juste valeur les éléments qui en font un miracle vivant. Je suis toujours stupéfaite par leur action synergique, indispensable au bon fonctionnement de l'ensemble. Que l'un d'eux — os, enzyme ou hormone — soit déplacé ou ne joue pas son rôle, et tout l'organisme en pâtit.

Lorsque vous entreprenez une nouvelle tâche, le recueil d'informations doit toujours être votre souci primordial. Consacrez un peu de temps à vous familiariser avec la terminologie de base concernant l'appareil ostéo-musculaire en vous reportant à la planche anatomique (**voir ci-contre**). Au début de l'exécution de votre programme, et d'un bout à l'autre de ce livre, vous en aurez besoin. Outre le fait d'enrichir vos connaissances, ne vous serait-il pas agréable de nommer correctement les muscles qui vont redessiner votre silhouette ?

▲ **Le cours particulier de Pilates** est extrêmement enrichissant. Pour vivre l'intégralité de cette méthode et essayer l'équipement, pratiquez une séance avec un professeur exerçant près de chez vous.

LE CORPS HUMAIN

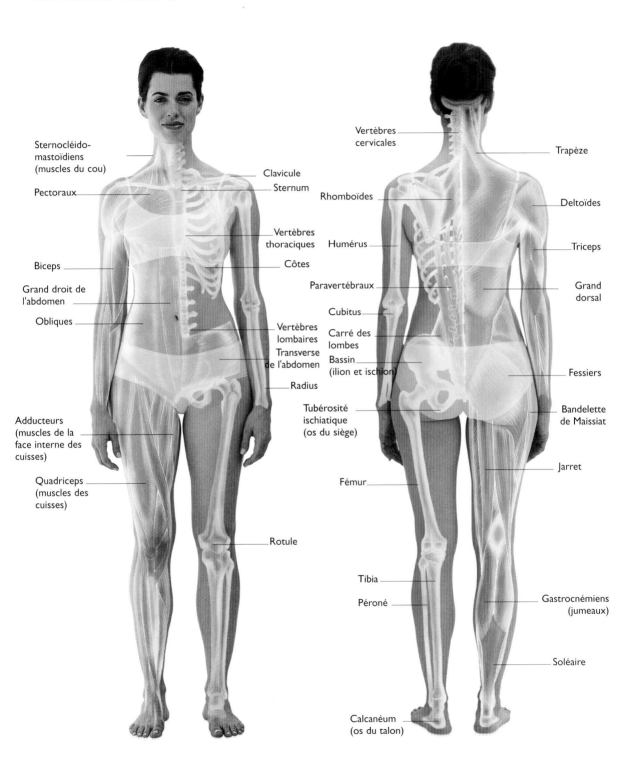

Sternocléido-
mastoïdiens
(muscles du cou)

Clavicule

Sternum

Pectoraux

Vertèbres
thoraciques

Biceps

Côtes

Grand droit de
l'abdomen

Obliques

Vertèbres
lombaires

Transverse
de l'abdomen

Radius

Adducteurs
(muscles de la
face interne des
cuisses)

Quadriceps
(muscles des
cuisses)

Rotule

Vertèbres
cervicales

Trapèze

Rhomboïdes

Deltoïdes

Humérus

Triceps

Paravertébraux

Grand
dorsal

Cubitus

Carré des
lombes

Bassin
(ilion et ischion)

Fessiers

Tubérosité
ischiatique
(os du siège)

Bandelette
de Maissiat

Jarret

Fémur

Tibia

Péroné

Gastrocnémiens
(jumeaux)

Soléaire

Calcanéum
(os du talon)

▲ **Tu dois te maîtriser.** Lors d'un exercice dans lequel on roule, la maîtrise de soi est indispensable pour doser parfaitement effort, vitesse, force et rythme.

PRINCIPES DE BASE

Pour la pratique de sa méthode, Joseph Pilates a énoncé six grands principes. Ils répondent aux exigences de l'objectif suivant : obtenir des résultats rapides en se ménageant la meilleure forme physique possible. Leur portée ne se limite pas à la méthode Pilates. En fait, ils s'appliquent à n'importe quelle autre activité physique – tennis, football, natation ou danse.

MAÎTRISE

La premier principe de la méthode Pilates est "Tu dois te maîtriser". Sa prémisse est que des mouvements mous et bâclés n'entraînent que des bienfaits limités. L'activité physique est le processus par lequel on conditionne le corps pour qu'il réponde aux exigences de la vie courante. Lors de chaque exercice, vous devrez constamment corriger la position de vos membres. Votre tâche consistera en permanence à déceler les déséquilibres et dissymétries pour procéder aux ajustements nécessaires. Le rectangle/cadre de Pilates (voir aussi p. 14) est la clef permettant d'instaurer une bonne symétrie corporelle. D'une épaule à l'autre et d'une hanche à l'autre, votre buste définit un rectangle qui sert de référence pour la symétrie et l'alignement corporels. Chaque mouvement que vous exécutez doit respecter ces deux paramètres, ce qui exige une maîtrise totale.

Afin de l'illustrer, vous apprendrez à pratiquer plusieurs exercices dans lesquels vous roulerez. À première vue, cela

▲ **L'exigence de concentration.** Pendant l'étirement d'une jambe (p. 28-29), la position de la main est précise. Sans une attention soutenue, on tremble, ce qui rompt la symétrie corporelle.

semble facile car votre instinct vous poussera naturellement à vous balancer simplement d'arrière en avant en prenant beaucoup d'élan. Toutefois, la pratique aidant, vous constaterez que ce mouvement, exécuté un peu plus lentement, la colonne vertébrale étant rectiligne et les muscles abdominaux travaillant, tient de la gageure. Un mouvement apparemment aisé devient une sorte de défi. Mais une fois que, mentalement, vous acquérez la maîtrise de votre corps, vous commencez à vraiment modifier votre physique.

CONCENTRATION

Quel que soit l'exercice pratiqué, il est bénéfique. Mais si vous l'exécutez en lui accordant toute votre attention, il transforme complètement votre corps. Or, c'est ce qu'exige la méthode Pilates, dans la mesure où toute activité physique sérieuse nécessite une attention soutenue. Que vous veilliez à bien rentrer l'abdomen ou à placer correctement votre main lors des traditionnels exercices destinés aux abdominaux (p. 157), votre participation psychologique active est indispensable. Durant toute la séance, prenez l'habitude de passer en revue mentalement chaque partie de votre corps, de la tête aux orteils. Quand un patron surveille la tâche en cours, ses employés travaillent beaucoup plus dur à leurs postes respectifs. De même si vous laissez votre esprit vagabonder, c'est comme si le censeur de votre corps avait quitté la pièce.

CENTRAGE DYNAMIQUE

Le terme "centre" est omniprésent dans l'univers de l'activité physique. Un autre, celui de "foyer énergétique" (ou "foyer musculaire"), est celui qu'emploient les professeurs de Pilates pour décrire collectivement les muscles abdominaux, fessiers et lombaires. Nous le définissons comme le centre à partir duquel force et maîtrise s'exercent sur le reste du corps. Ainsi la méthode Pilates conçoit que chaque exercice lui fait appel.

Beaucoup pratiquent une activité physique sans prêter attention au début de chaque mouvement. En conséquence, ils se meuvent de manière incorrecte et souffrent de distensions et traumatismes. Chaque exercice doit engager le foyer énergétique avant tout autre groupe de muscles. En "rentrant" les abdominaux, vous enseignez à votre corps comment entamer des mouvements apparemment sans lien, cela en partant de votre centre. Dans les premiers jours où vous pratiquerez, vous devrez vous rappeler constamment cette règle. À la longue, cela deviendra une seconde nature, non seulement lorsque vous exécuterez les exercices, mais aussi dans votre vie quotidienne.

SOUFFLE

En règle générale, expirer pendant la phase difficile d'un mouvement non seulement le facilite, mais vous aide également à vous mouvoir avec plus de fluidité. Vous pouvez aussi vous servir du souffle pour marquer la cadence quand vous exécutez certains exercices que vous devrez synchroniser en fonction de votre rythme respiratoire.

À bien des égards, dans la pratique du Pilates, le recours au souffle améliore vos performances. Vous rencontrerez souvent la phrase "rentrez et remontez les abdominaux". Cela veut dire rapprochez les muscles abdominaux de la colonne vertébrale. La partie supérieure du corps ne doit pas se courber vers l'avant, pas plus que les hanches ne doivent se soulever. Seuls les muscles interviennent, non le squelette. Coordonner votre respiration avec ce mouvement augmente votre aptitude à l'effectuer.

RIGUEUR

Cette qualité est l'objectif de toute discipline, qu'il s'agisse de votre profession ou de votre remise en forme. Si vous avez foi dans le fait que les choses peuvent toujours s'améliorer, vous transposerez aisément ce concept à l'activité physique. Quand vous assimilez un nouvel exercice, envisagez toujours ce que sera le suivant. Comment pourrait-on en perfectionner l'exécution et le rendre plus efficace ? En lisant ce livre, observez les démonstratrices comme le ferait un professeur: comment corrigeriez-vous leurs défauts ? Cela vous aidera à acquérir un œil critique, regard que vous pourrez diriger sur vous-même. Enfin, n'oubliez pas de travailler assidûment les exercices que vous trouvez les plus ardus, car — fait caractéristique — ce sont ceux dont votre corps a réellement besoin.

L'effort doit être centrifuge. Cet exercice de base — musculation du biceps — est exécuté selon les principes de Pilates : pour raffermir les muscles, l'effort part du centre énergétique corporel et gagne la périphérie.

FLUIDITÉ

S'agissant du Pilates, la fluidité avec laquelle votre colonne vertébrale se mobilise reflète, sur une échelle réduite, celle de votre corps. L'articulation du rachis est conçue pour qu'elle travaille en s'enroulant et en se déroulant comme un collier de perles. Quand, debout et penché en avant, ou allongé sur le tapis de gymnastique, vous vous redressez, votre dos s'incurve, une vertèbre après l'autre. Le même processus se produit lorsque vous effectuez le mouvement inverse.

Ce dernier principe réalise la synthèse des précédents. Si vous maîtrisez vos mouvements, entamés à partir de votre foyer énergétique, si vous vous concentrez sur la figure à exécuter, respirez profondément et faites preuve de rigueur, la fluidité sera au rendez-vous. Les exercices s'enchaîneront naturellement.

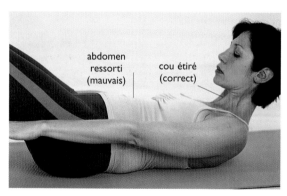

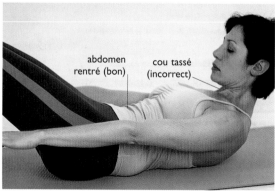

▲ **Une clé : la rigueur.** Étirez votre nuque (voir en haut). Ne tassez pas votre cou. L'abdomen doit être rentré et "creusé" vers le haut (voir en bas).

La mobilisation de type Pilates et, en général, tout mouvement, sera plus facile. Dans sa plus belle expression, ce mode gymnique est "poésie en mouvement", c'est-à-dire un ballet merveilleusement chorégraphié pour le corps et l'esprit.

QUALITÉ, RÉGULARITÉ, RÉSULTATS

L'activité physique ressemble à l'existence. Si vous demandez à un quidam ce qu'il doit faire pour obtenir une promotion professionnelle, il vous répondra sûrement, d'un air entendu, qu'on attend de lui qu'il fournisse régulièrement un travail de qualité. Pourtant, tous les jours, des gens s'inscrivent dans des clubs de gymnastique pour s'astreindre à des programmes de remise en forme et à des régimes, espérant des résultats rapides, du type solution résolvant dès le lendemain les problèmes de "ligne" et de bien-être. Si qualité, régularité et résultats sont de nature à vous faire gravir les échelons professionnels, imaginez ce qu'ils peuvent faire pour votre corps. Or, la méthode Pilates est une excellente discipline. Pratiquée régulièrement — trois séances par semaine — elle donne des résultats spectaculaires. Et, par dessus tout, elle est amusante.

LA PROMESSE DE PILATES M'AIDERA-T-ELLE ?

Si vous êtes un vieux pratiquant des exercices Pilates au sol, cet ouvrage précisera les concepts avec lesquels vous êtes déjà familiarisé et vous permettra d'affiner votre technique. Si vous avez eu un professeur, La *Promesse de Pilates* enrichira utilement votre actuel répertoire d'exercices. Si vous êtes débutant, vous assimilerez l'essentiel de cette méthode, qu'il s'agisse des connaissances de base ou des "Remarques" formulées dans des encadrés.

La place manque pour exposer toutes les variantes d'exercices adaptées aux cas particuliers. La sélection présentée dans ce livre répond aux demandes les plus courantes portant sur le thème de la forme physique : musculation de la partie supérieure du corps, notamment des bras, raffermissement des fesses et des cuisses, acquisition d'une posture correcte et d'une souplesse élégante.

▲ **Expirez à l'effort.** À chaque étirement, élévation ou mouvement de balayage, rentrez davantage l'abdomen en expirant (p. 11) pour augmenter l'énergie disponible.

▲ **Efficacité optimum.** Dynamisez votre séance en enchaînant les mouvements. Passer d'un exercice à l'autre sans à-coups optimise le flux énergétique.

DE QUOI AI-JE BESOIN POUR DÉBUTER ?

Il vous faudra un tapis de gymnastique ou une couverture, ou quelques serviettes ; le nécessaire pour ménager votre colonne vertébrale et les régions osseuses en appui. Les programmes proposés font appel à des accessoires – petits haltères, ballon, cercle magique de Pilates –, qui amplifient les bienfaits de la méthode. Certains exercices nécessitant une barre ou une bande de tissu, j'ai mentionné quelques suggestions de remplacement.

QUE RENFERME CE LIVRE ?

Il propose trois programmes différents : le premier destiné à la partie supérieure du corps, le deuxième à sa partie inférieure, et le troisième pour améliorer posture et souplesse. Chacun, qui comporte quatre phases, se pratique trois fois par semaine durant 10 semaines. Lors de la première phase, chacune de nos démonstratrices exécute le même programme de base (p. 20-33). Au-delà de la 1ère semaine, elle entame celui qu'elle a choisi de pratiquer durant les 9 semaines suivantes.

Ces 9 semaines se répartissent en 3 périodes de trois semaines ; les 2e, 3e et 4e semaines sont surtout consacrées aux

exercices du débutant ; les 5e, 6e et 7e comportent ceux de niveau intermédiaire ; enfin, les 8e, 9e et 10e s'adressent au pratiquant confirmé. Lors de chaque phase, intégrez les nouveaux exercices aux précédents. Le tableau présentant un aperçu du programme, placé au début de celui-ci (p. 38-39, 76-77, 112-113) fait appel à un simple code-couleur qui montre comment les inclure. Même si le programme entier ne comporte que 30 séances, et afin d'entretenir votre nouveau corps, continuez à les pratiquer au moins une fois par semaine.

L'explication progressive des exercices indique le mode respiratoire et le nombre de répétitions conseillé. Certaines positions sont accompagnées de notes explicatives qui, dans certains cas, ont pour but d'attirer votre attention sur les qualités de la démonstratrice. Ailleurs, elles sont destinées à vous faire tirer la leçon des fautes commises.

Les exercices à exécuter chez soi, s'ils ne sont pas du Pilates, sont des mouvements complémentaires visant à faciliter, améliorer ou intensifier les autres. Parfois, ils concernent une zone précise du corps. D'autres fois, ils modifient un exercice, ou complètent le programme choisi.

Les encadrés intitulés "Remarques" vous enseignent l'auto-critique. Ces conseils vous aideront à rester sur la bonne voie du

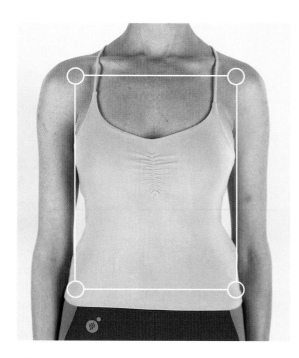

▲ **Le cadre de Pilates.** Pour garder le contrôle de votre symétrie, imaginez que votre buste s'inscrit dans un rectangle allant des épaules aux hanches. Quel que soit l'exercice, préservez-le toujours.

point de vue de la technique d'exécution quand personne n'est là pour vous corriger.

La rubrique "Composez votre séance d'exercices au sol" (p. 154-155) illustre l'enchaînement des mouvements exécutés dans le pur style Pilates. Vous constaterez aisément que l'exécution des exercices dans l'ordre indiqué fait travailler tout le corps. Chacun des programmes s'inspire des exercices au sol traditionnellement enseignés par Pilates. À ce propos, si vous deviez les pratiquer tous, la quasi-totalité des mouvements effectués au sol serait couverte. Vous êtes libre, en fonction de l'ordre dans lequel ils se succèdent d'intégrer à votre pratique des exercices figurant dans les autres programmes. Quant aux mini-séances (p. 156-157), elles sont mon petit cadeau. En effet, si, un jour, vous ne pouvez pas glisser une séance complète dans votre emploi du temps, essayez-les. Faites votre sélection parmi les exercices destinés à la partie supérieure ou inférieure du corps, ou encore, pourquoi pas, à améliorer posture et souplesse.

Comme c'est le cas lorsqu'on entame la pratique de nouveaux exercices, si vous ressentez une douleur ou une gêne pendant leur exécution, écartez-les. Faites tout ce qui est indolore et ne prenez aucun risque.

LE PILATES : SOLUTION D'UN PROBLÈME

Enfin, permettez-moi quelques mots à propos de l'activité physique, dont certaines formes sont ennuyeuses, fatigantes, voire parfois pénibles. Or, afin d'éviter ce désagrément, certains d'entre nous se distraient avec musique, télévision ou bavardage qui détournent notre attention de notre corps. Mais il faut savoir que, sans participation psychologique, votre forme physique s'amoindrit, votre technique se dégrade, et vos résultats sont considérablement limités. Il n'en est pas de même avec le Pilates

La spécificité de cette méthode, c'est qu'elle implique naturellement la participation du psychisme. Quand vous la pratiquez, vous n'échappez pas aux exigences de la séance en cours. Vous devez lui accorder toute votre attention. Une fois que vous vous y plongez, vos mouvements sont plus énergiques et vous ne tardez pas à en observer les résultats.

La promesse que vous fait Pilates d'acquérir un corps tout neuf en 30 séances est un vœu parfaitement réalisable à la faveur d'un programme qui exige de vous un investissement total. Sa méthode vous permet de renouer avec votre corps et

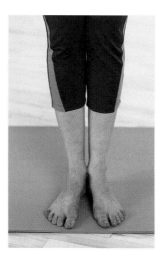

◀ **Position de Pilates**
Pour faire travailler les muscles postérieurs des jambes et soutenir la région lombaire, pensez à contracter vos fessiers afin de presser légèrement les faces postérieures de vos jambes l'une contre l'autre pour que vos pieds forment un petit "V".

d'en acquérir la maîtrise. Si je me réfère à ma longue expérience professionnelle, elle est la seule, à ma connaissance, qui enseigne au psychisme le modelage du corps dès le premier mouvement.

EN CONCLUSION

Joseph Pilates accordait son attention à l'aspect positif des choses. Selon ses disciples, le tout premier jour, il demandait ce dont on souffrait et n'en parlait plus jamais ensuite. Au lieu de s'occuper des zones corporelles affaiblies, il se concentrait sur les autres. Cette conception n'est pas nouvelle. L'ostéopathie moderne est fondée sur l'idée que le corps se guérit si on lui offre les conditions adéquates pour le faire. Dans le Pilates, elles sont le résultat d'une harmonieuse combinaison dans laquelle force, souplesse, symétrie et bonne posture jouent un rôle déterminant.

Les conditions appropriées à une excellente santé doivent aussi s'ancrer dans une perception physique du moi. En effet, bien que souvent sédentaire, notre mode de vie trépidant nous fait négliger notre corps. Il est de plus en plus difficile, et pourtant bien nécessaire, d'avoir une activité physique. En

▲ **Accessoires commercialisés.** Vous aurez besoin d'un tapis de gymnastique et, selon le programme choisi, du matériel suivant : petits haltères de 1-1,5 kg, bande de tissu, un "cercle magique" ou un ballon de caoutchouc d'environ 40 cm de diamètre, et une barre d'étirement. Si vous le désirez, vous pouvez aussi investir dans quelques haltères de chevilles de 1-1,5 kg.

associant la concentration du yoga, la discipline de la danse, et le caractère athlétique des sports, les programmes proposés ici offrent forme physique et bien-être.

LANGAGE DE PILATES

Le lexique ci-dessous vous familiarisera avec le langage imagé de Pilates. Les termes employés ne définissent pas seulement les mouvements exécutés, mais également leur caractère.

Abaissement des omoplates Il consiste à les faire glisser vers les pieds, ce qui les éloigne du cou.

Activer/engager "Déclenchement" d'un mouvement au sein d'un muscle ou d'un groupe de muscles.

Alignement/symétrie Position du corps dans laquelle les articulations sont à la fois alignées entre elles et symétriques par rapport à un axe.

Ancrer/stabiliser Engagement du foyer musculaire destiné à placer le corps dans une position donnée.

Antagonisme Il se définit par le travail d'un groupe musculaire ou d'une zone corporelle en opposition à un autre groupe musculaire ou à une autre zone corporelle.

Articuler/courbure en C Mobilisation du rachis à raison d'une vertèbre à la fois pour que chaque portion de la colonne se distingue nettement de la suivante.

Creusement et haussement de l'abdomen On rentre les muscles abdominaux (notamment les transverses) et les remonte, ce qui "creuse" l'abdomen. Aussi, "ceinture" et "taille".

Foyer musculaire/foyer énergétique/centre Gaine musculaire qui enveloppe le buste et s'étend des côtes flottantes à la zone située juste au-dessous des fesses.

Position de Pilates La contraction des fessiers fait pivoter un peu les jambes, jointes des hanches au talon, les pieds en V.

Raffermissement des fesses Contraction des fessiers.

Rectangle/cadre de Pilates Zone corporelle définie par les horizontales reliant, d'une part, les épaules et, d'autre part, les hanches, et formant un rectangle si on les joint par deux verticales. Sert de référence pour l'alignement.

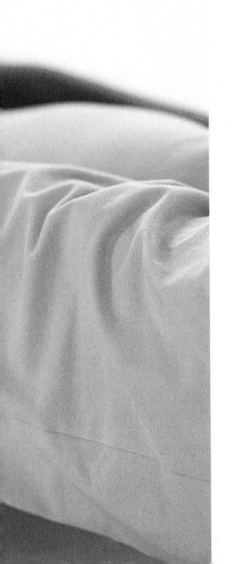

PROGRAMME DE BASE

Nous sommes tous néophytes quand nous prenons notre premier cours de Pilates. Quel que soit votre mode de mise en forme actuelle, si vous ignorez tout de cette méthode, il est nécessaire de l'aborder au tout début. Prenez le temps de bien assimiler ces exercices afin d'acquérir une condition physique adéquate. Ceux que l'on vous enseigne vous accompagneront toute votre vie, aussi prendre de bonnes habitudes dès maintenant vous sera précieux ultérieurement. Ce programme de base couvre la première semaine – durant laquelle il convient de pratiquer trois fois les exercices.

PRÉSENTATION DES DÉMONSTRATRICES

Certes, les trois programmes que comporte *La Promesse de Pilates* s'adressent à tout le monde, mais trouver des personnes qui acceptent d'être photographiées pendant qu'elles exécutent les mouvements était une tâche ardue. Chaque femme devait s'engager à suivre trois séances par semaine, et cela pendant 10 semaines. En outre, elle devait, bien sûr, adapter son emploi du temps chargé aux fréquentes séances photographiques.

Les trois personnes qui participèrent à ce projet exercent toutes des professions stressantes les obligeant à jongler avec délais, interviews, auditions et autres obligations du même genre. J'ai été agréablement surprise de découvrir qu'elles transposaient leur morale professionnelle dans les séances de Pilates.

EREKA : HAUT DU CORPS

Danseuse reconvertie dans la publicité, Ereka entendit parler de *La promesse de Pilates* par une amie, et accepta de se prêter à un examen minutieux. Convaincue que sa forme répondait parfaitement aux exigences du programme destiné à la partie inférieure du corps, elle était certaine que je la retiendrai.

À l'issue de notre entretien d'évaluation, je l'interrogeai sur le reste de son corps. À l'évidence, au cours de notre première séance, elle se révéla parfaitement apte, douée d'une remarquable coordination psychomotrice et d'un esprit vif. Son seul point faible semblait être son manque de force au niveau de la partie supérieure du corps. De fait, si le bas avait conservé les qualités exigées par la danse, le haut déséquilibrait sa silhouette. Nous étudiâmes la manière dont on pouvait remodeler et muscler ses bras et son dos ; et elle tomba d'accord avec moi pour dire que son esthétique corporelle en bénéficierait.

Elle exprima sa crainte qu'à la longue ses bras ne deviennent trop volumineux. Je la rassurais, car sans entraînement intensif aux haltères, il est impossible d'en augmenter beaucoup la masse musculaire. Il faut dire que, en soi et par lui-même, le Pilates n'accroît pas les mensurations des muscles de manière spectaculaire. Au lieu de cela, je souhaitais voir les bras d'Ereka se tonifier et se remodeler. Enfin, tout en espérant voir ses deltoïdes se développer, je désirais aussi que certaines autres zones s'affinent.

TAI : BAS DU CORPS

Je l'ai rencontrée pour la première fois dans une galerie d'art située dans un quartier résidentiel de New York. Rédactrice dans une revue féminine, Tai, grande, pleine de charme et de sensualité, s'intéressait au Pilates en perspective d'un roman-photos, mais je ne suis pas sûre qu'elle se soit jamais imaginée en être une actrice. Nous nous sommes donné rendez-vous à mon atelier et mises d'accord pour nous concentrer sur le programme destiné à la partie inférieure du corps. J'ai tout de suite été frappée par son caractère perfectionniste et compris qu'elle tirerait le meilleur parti de nos séances.

Dotée d'une solide ossature, elle présente une surcharge pondérale à hauteur des hanches et des cuisses qui la font paraître disproportionnée. À première vue, ses jambes étaient très musclées, mais lorsqu'elle se livra aux premiers exercices au sol, je me rendis compte qu'elle ne les faisait pas travailler autant qu'elle aurait pu. Elle devait muscler davantage cuisses et fesses.

CASEY : SOUPLESSE ET POSTURE

Souhaitant devenir comédienne, Casey était habituée à courir les rues de New York, enchaînant travail, auditions, répétitions. Il était clair que ce mode de vie, associé à un traumatisme vertébral ancien, prélevait son dû sur sa santé, si bien que, sur le plan musculaire, elle était tendue et raide. Outre son planning chargé, elle complétait son revenu par un emploi de bureau. En conséquence, elle avait une mauvaise posture. Après notre entretien, je décidai de lui donner sa chance.

À l'issue de notre séance d'exercices pratiques, j'étais perplexe. Je me demandais si son corps supporterait des modifications spectaculaires. Bien que, apparemment, sa posture se corrigeait aisément et de manière durable, la mobilité de son

Casey, Tai et Ereka partagent leurs premières impressions sur la promesse de Pilates.

dos me préoccupait. Son rachis était incroyablement raide, raison pour laquelle elle avait du mal à atteindre son foyer énergétique. Finalement, c'est son ardeur qui me persuada, et bien plus encore les bienfaits potentiels qu'elle pourrait recueillir du programme d'exercices. J'étais sûre que, même si les résultats étaient théoriquement limités, elle irait beaucoup mieux ensuite. Elle avait vraiment besoin du Pilates, aussi l'ai-je engagée.

INITIATION...

Au cours de la première semaine, j'ai présenté les exercices de base au sol à mes trois "élèves". Comme c'est le cas avec la nouveauté, et quel que soit l'historique de notre condition physique, le premier jour, on est un novice. Chacune des trois démonstratrices prit connaissance de la méthode Pilates puis, décidée, entra dans mon atelier et signa pour sa première séance.

...AUX SEPT EXERCICES DE BASE

Durant la première semaine, Ereka, Tai et Casey assimilèrent les sept premiers exercices au sol du Pilates classique, pratique que je surnomme "les 7". Il s'agit d'un programme préparatoire conçu pour bien inculquer les principes de la méthode Pilates. Chacun d'eux comporte des variantes permettant de cibler différentes zones corporelles. Ces modifications s'intègrent aux trois programmes à mesure que les démonstratrices progressent de la 2e à la 10e semaine (voir p. 20-33 pour les explications détaillées).

ÉCHAUFFEMENT

Comme maintes méthodes gymniques, celle de Pilates débute par un échauffement. Il stimule la circulation sanguine tout en synchronisant l'activité musculaire et la fréquence cardiaque. Les mouvements énergiques et cadencés des bras, coordonnés avec le rythme respiratoire, contribuent à une expiration profonde qui favorise une bonne ventilation pulmonaire.

1 Allongée sur le dos, saisissez vos genoux et ramenez-les sur votre poitrine. Contractez les abdominaux et rentrez le ventre tout en le remontant. Maintenez votre colonne vertébrale en contact avec le tapis sur toute sa longueur, de la nuque au coccyx.

gardez la nuque en contact avec le tapis

PERSONNALISATION DU PILATES

En début de 2ᵉ semaine, ou dès que l'exercice ci-dessus est assimilé, essayez différentes variantes afin de répondre à vos besoins propres. À droite, 3 possibilités sont offertes, selon le programme retenu.

Impératifs : • Lors des mouvements de pompage, ne frappez pas le sol avec les mains.

• L'effort doit partir du foyer énergétique, non du cou.

• Concentrez-vous sur vos abdominaux. À chaque expiration, rentrez davantage le ventre.

Simplification : Gardez la tête sur le tapis ou levez les jambes plus haut.

Perfectionnement : Abaissez vos jambes sans relâcher les abdominaux, ou inspirez en comptant jusqu'à 4 et expirez en comptant jusqu'à 6.

Faites appel au Cercle Magique ou à un ballon (40 cm de diamètre) pour vous muscler davantage.

▲ **Haut du corps** Dès que vous êtes prête, utilisez un Cercle Magique ou un ballon de 40 cm, pour muscler davantage le haut du corps, en le pressant de manière cadencée, bras tendus, légèrement fléchis. Inspirez, et expirez à l'effort, 5 fois.

Jambes maintenues jointes

Talons joints, orteils écartés dans la position de Pilates

Jambes maintenues jointes

2 Relevez tête et épaules en maintenant la base des omoplates en contact avec le tapis. Étendez les jambes vers le haut, genoux pliés, comme si elles s'appuyaient sur une chaise. Exécutez 100 mouvements de pompage avec les bras ; 5 par inspiration et 5 par expiration. Revenez à la phase 1, et marquez une pause.

3 Tout en pompant avec les bras, pour vous muscler, étendez les jambes à 45°. Contractez les fessiers pour joindre leurs faces postérieures. Les pieds prennent la position de Pilates. Rentrez le ventre pour éviter toute courbure de la région lombaire. Pliez les genoux et asseyez-vous pour vous préparer à l'exercice "Déroulez vos vertèbres" (p. 22-23).

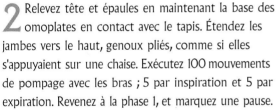

▲ **Bas du corps** Entamez l'exercice comme le faisait Pilates, pour vous concentrer sur cette zone corporelle. Débutez jambes étendues sur le tapis, puis décollez-les légèrement en veillant à ce qu'elles restent près du sol pour que les fessiers se contractent. Exécutez quelques séries de 10 mouvements de pompage avec les bras avant d'en faire 100.

▲ **Souplesse et posture** Veillez à l'alignement et à la symétrie de vos thorax, cou et épaules afin d'améliorer votre posture pendant l'échauffement. Tendez les épaules vers les pieds et pressez-les contre le tapis. Étirez le cou et gardez la poitrine dégagée, clavicules en position basse.

DÉROULEZ VOS VERTÈBRES

Ici, nous nous concentrons sur la mobilisation segmentaire de la colonne vertébrale. Par l'étirement des muscles de la région lombaire, vous parviendrez à contracter plus énergiquement les transverses de l'abdomen.

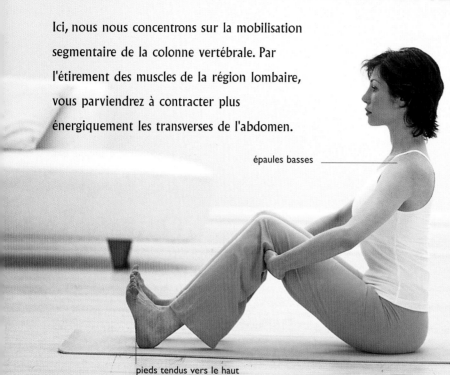

épaules basses

pieds tendus vers le haut

1 Assise droite, jambes écartées d'une largeur de bassin, pliez les genoux et tendez les pieds vers le haut, talons en appui sur le tapis. Mains placées sous les cuisses, derrière les genoux, rentrez le ventre et remontez-le en passant à la phase 2.

PERSONNALISATION DU PILATES

En début de 2ᵉ semaine, ou dès que l'exercice ci-dessus est assimilé, essayez différentes variantes afin de répondre à vos besoins spécifiques. À droite, trois possibilités sont offertes, selon le programme retenu.

Impératifs : • Vous ne devez ni vous affaisser, ni vous pencher – courbez le dos.

• Les pieds, en appui sur le sol, doivent rester à la même place durant tout l'exercice.

• Rentrez les côtes. Tandis que vous vous déroulez, votre thorax doit se creuser.

Simplification : Diminuez l'amplitude du mouvement. Ne commencez à courber le dos qu'à mi-chemin du tapis.

Perfectionnement : Comptez moins sur vos mains - ce sont vos abdominaux qui doivent travailler.

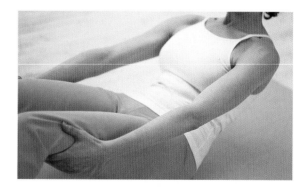

▲ **Haut du corps** Pour le muscler, et tout en vous rapprochant du tapis, faites travailler vos bras. Afin que vos biceps se tonifient, gardez les coudes fléchis, bras non tendus. Servez-vous de vos bras pour revenir à la position de départ.

chaque vertèbre se rapproche du tapis

2 Contractez les fessiers et rentrez l'abdomen en inclinant le bassin. Inspirez et commencez lentement à abaisser la zone inférieure du rachis vers le tapis. Expirez en descendant. Tout en vous musclant, faites glisser vos mains le long des cuisses. Prenez appui sur le tapis en déroulant vos vertèbres l'une après l'autre.

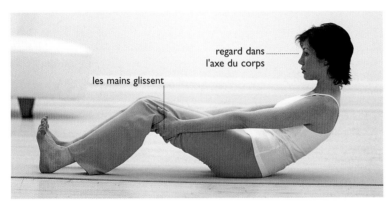

regard dans l'axe du corps

les mains glissent

3 Tendez les bras à mesure que votre rachis inférieur se rapproche du tapis. Quand votre taille touche le sol, maintenez cette position le temps de 3 respirations profondes. À chaque expiration, rentrez le ventre. Ensuite, retournez à la phase 1. Recommencez 3 fois. Enfin, déroulez-vous à nouveau pour passer aux Rotations de la jambe (p. 24-25).

▲ **Bas du corps** Pour tonifier les muscles de la face interne des cuisses, à l'expiration, contractez-les en pressant entre vos genoux un ballon de 25 cm de diamètre ou un Cercle Magique. Maintenez une pression constante tout en vous redressant après votre dernière respiration.

▲ **Souplesse et posture** Tout en vous déroulant, gardez la poitrine dégagée et les épaules renvoyées en arrière. Cela développe la mémoire musculaire et éduque les muscles posturaux qui contribuent à un port altier. Ce faisant, évitez de creuser la poitrine.

ROTATIONS D'UNE JAMBE

C'est le premier exercice qui, dans le programme de base, exige l'équilibre de votre foyer énergétique pendant que vous remuez vos membres. Pour l'exécuter, il faut lever la jambe en l'air et décrire des cercles parfaits tout en vous concentrant sur les paramètres suivants : stabilité du foyer énergétique, alignement, amplitude et maîtrise du mouvement.

jambe au repos dans le plan de symétrie

1 Allongez-vous sur le dos, une jambe tendue vers le plafond, l'autre à plat sur le tapis, dans le prolongement du corps, les épaules en arrière, les bras en appui sur le sol le long du corps, l'abdomen rentré.

PERSONNALISATION DU PILATES

En début de 2ᵉ semaine, ou dès que l'exercice ci-dessus est assimilé, essayez différentes variantes afin de répondre à vos besoins spécifiques. À droite, trois possibilités sont offertes, selon le programme retenu.

Impératifs : • Une jambe n'est pas un fouet, aussi accompagnez son mouvement.

• Amplifiez le mouvement supérieur de la jambe avant de la rabaisser.

• Immobilisez votre buste quoi que fasse votre jambe.

Simplification : Décrivez des cercles plus petits. Ou pliez le genou de la jambe en contact avec le sol.

Perfectionnement : Lancez-vous un défi en décrivant un cercle plus grand.

▲ **Haut du corps** Pour faire travailler vos bras durant cet exercice, pressez-en fermement la face postérieure sur le tapis. Pour muscler le grand dorsal (p. 9), muscle qui assure l'immobilité du buste, pressez le sol de vos épaules.

jambe
dirigée vers
l'épaule

abdominaux
contractés

2 Inspirez et déplacez la jambe levée vers l'épaule opposée en traçant un demi-cercle supérieur. Afin que votre buste reste immobile, gardez les hanches en appui sur le tapis.

3 Rabaissez votre jambe en décrivant un demi-cercle inférieur. Ne relâchez pas votre paroi abdominale ; rentrez davantage le ventre à mesure que vous exécutez le mouvement.

4 Expirez et ramenez 5 fois votre jambe de l'extérieur vers l'intérieur, et inversement. Changez de jambe et recommencez. Asseyez-vous avant de passer à l'exercice "Roulez comme une balle" (p. 26-27).

◄ **Bas du corps** Pour faire travailler davantage les abducteurs et les adducteurs de la jambe levée, amplifiez le mouvement latéral interne de ces muscles. Faites participer les muscles de la face interne de la cuisse de la jambe au repos en la faisant rouler vers l'axe du corps.

Souplesse et posture ▶

Si vos jarrets sont raides, n'étendez pas la jambe au repos ; pliez le genou. Quant à votre posture, imaginez que vous vous regardez dans une glace fixée au plafond ; la partie supérieure de votre corps doit paraître élancée.

ROULEZ COMME UNE BALLE

Pour élaborer sa méthode, Joseph Pilates s'inspira beaucoup du jeu des enfants. Bien que cet exercice paraisse facile, maîtriser la fluidité du mouvement est extrêmement difficile. Exécuté de manière appropriée, il fait travailler les abdominaux.

1 Assise sur le tapis, de chaque main, saisissez fermement une cheville. Inclinez le bassin vers l'arrière pour décoller les pieds du sol et vous "mettre en boule". Veillez à garder les pieds joints et les genoux écartés d'une largeur de bassin. Mettez la tête carrément entre vos genoux, ou aussi près d'eux que possible.

tête près des genoux

pieds joints

PERSONNALISATION DU PILATES

En début de 2e semaine, ou dès que l'exercice ci-dessus est assimilé, essayez différentes variantes afin de répondre à vos besoins spécifiques. À droite, trois possibilités sont offertes, selon le programme retenu.

Impératifs : • Ne tombez pas en arrière ; roulez doucement.

• Maîtrisez votre mouvement. Évitez d'utiliser l'élan pour vous redresser ; au lieu de cela, faites appel à votre foyer énergétique.

• Maintenez bien vos chevilles. Veillez à ce que les talons soient près des fesses.

Simplification : Si vous présentez un traumatisme du genou ou une raideur des jarrets, placez vos mains derrière le creux poplité.

Perfectionnement : Pour assurer votre prise, croisez les doigts ou saisissez l'un de vos poignets.

◄ **Haut du corps** Pour faire travailler les bras, saisissez fermement vos chevilles. Afin de former grossièrement un cercle avec les bras, gardez les coudes levés. Tout en faisant travailler les muscles des bras, exercez une pression des mains sur vos chevilles.

genoux écartés d'une
largeur de bassin

arquez-
vous à
hauteur
des
lombes

pieds
rapprochés
des fesses

2 Inspirez et commencez à rouler en arrière, en rentrant l'abdomen et en prenant appui sur la zone coccygienne. Amenez chaque vertèbre en contact avec le tapis. Gardez cette position, tête entre les genoux (ou aussi près d'eux que possible) et pieds maintenus contre les fesses.

3 Roulez doucement en arrière jusqu'à la base des omoplates tandis que vos hanches décollent du sol. Pour éviter de rouler sur le cou, maintenez votre menton en position basse. Sans vous arrêtez, expirez en revenant à votre position de départ. Recommencez 10 fois, et allongez-vous sur le tapis pour passer à l'Étirement d'une jambe (*p 28 à 29*).

◀ **Bas du corps**
Pour muscler les faces postérieures des cuisses, pliez les jambes en les relevant, genoux aussi proches que possible des épaules. Les pieds restent presque collés aux fesses. Veillez à ce que les genoux soient pliés de telle sorte que les mollets touchent les cuisses. Maintenez cette position tout en roulant.

▲ **Souplesse et posture** Afin de garantir une articulation souple à chaque segment de votre rachis, saisissez vos jambes au niveau du creux poplité et roulez en arrière plus lentement que vous ne le faisiez précédemment. En vous relevant, gardez cou et épaules détendus. Cette variante augmente la mobilité de la colonne vertébrale.

ÉTIREMENT D'UNE JAMBE

Premier de ceux destinés aux abdominaux, cet exercice fait partie d'un groupe de cinq formant une mini-séance (*p. 157*). Analogue aux habituels mouvements de redressement, il accorde une importance majeure aux trois paramètres suivants : concentration, coordination psychomotrice, et solide foyer énergétique.

1 Allongée sur le dos, genoux ramenés contre la poitrine, concentrez-vous sur vos facultés de perception afin de vous sensibiliser au contact de votre colonne vertébrale avec le tapis. Étirez votre nuque et rentrez vos muscles abdominaux tout en les remontant, bras le long du corps.

PPERSONNALISATION DU PILATES

En début de 2ᵉ semaine, ou dès que l'exercice ci-dessus est assimilé, essayez différentes variantes afin de répondre à vos besoins spécifiques. À droite, trois possibilités sont offertes, selon le programme retenu.

Impératifs : • Ne faites pas comme si vous donniez des coups de pieds; étendez les jambes en imaginant que vous luttez contre une résistance.

• Quand vous étendez ou pliez une jambe, faites travailler vos abdominaux. Si vous ne maîtrisez pas ces muscles et que votre abdomen continue à saillir, levez davantage la jambe en extension.

• Bras et jambes doivent se mouvoir avec fluidité, mais gardez le thorax en appui sur le tapis; ne vous balancez pas latéralement.

Simplification : Si vous ressentez une gêne dans le cou, ne relevez pas la tête ou, si vous souffrez d'une blessure à la jambe, saisissez-la derrière le creux poplité.

Perfectionnement : Étendez un petit peu plus la jambe, ou augmentez la cadence.

▲ **Haut du corps** Faites travailler les muscles de vos bras en saisissant fermement vos jambes quand vous les ramenez sur votre poitrine. Écartez les coudes pour tonifier les biceps.

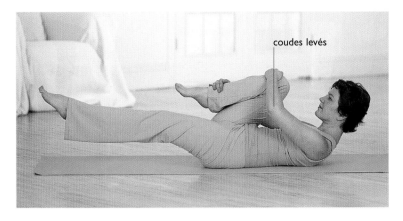

coudes levés

2 D'un seul mouvement, levez tête et épaules, saisissez votre genou droit et tirez-le vers votre épaule droite tout en étendant l'autre jambe, si possible en formant un angle de 45°. Tendez la main droite pour saisir la cheville correspondante, et la gauche pour maintenir le genou droit.

ventre rentré

3 Changez de jambe puis, respectivement des mains gauche et droite, saisissez cheville et genou gauches. Répétez de 5 à 8 fois cet enchaînement portant sur les deux jambes. Inspirez et expirez à raison d'un enchaînement sur deux. Passez immédiatement à l'Étirement des deux jambes (*p. 30 à 31*).

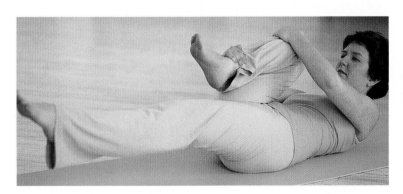

▲ **Bas du corps** Pour faire travailler les fessiers, étendez la jambe au-dessus du tapis. Imaginez que, avec celle-ci, vous effleurez le sol. Concentrez-vous sur ce mouvement. Changez de jambe et recommencez.

Souplesse et posture ▶

Pour augmenter l'étirement, serrez fortement le genou contre vous. Synchronisez l'étirement de la jambe pliée avec l'extension de l'autre jambe afin de délier les muscles de la hanche.

ÉTIREMENT DES DEUX JAMBES

Deuxième de ceux destinés aux abdominaux, cet exercice est très ciblé. Évidemment, comme c'est le cas pour toute la méthode Pilates, maints détails pourraient retenir notre attention. Mais ici, nous nous attachons à coordonner respiration et mouvements des bras pour tonifier le foyer énergétique.

1 Pliez les genoux, ramenez-les sur la poitrine, et saisissez vos chevilles. Relevez la tête et regardez vos abdominaux. Veillez à ce que la base de vos omoplates et la naissance de vos fesses soient en appui sur le tapis.

le regard doit se porter sur les abdominaux

PERSONNALISATION DU PILATES

En début de 2e semaine, ou dès que l'exercice ci-dessus est assimilé, essayez différentes variantes afin de répondre à vos besoins spécifiques. À droite, trois possibilités sont offertes, selon le programme retenu.

Impératifs : • Ne laissez pas vos jambes retomber passivement sur votre poitrine; luttez contre la résistance qui se manifeste.

• Maintenez vos jambes en l'air en les remontant vers l'arrière.

• Gardez tête et épaules levées au-dessus du tapis, notamment en tendant les bras à 45°, vers l'arrière

Simplification : Tendez les bras vers l'avant, en les maintenant juste au-dessus du sol.

Perfectionnement : Pour faire travailler les abdominaux, placez vos jambes plus bas..

Faites appel au Cercle Magique ou à un ballon (40 cm de diamètre) pour vous muscler davantage

▲ **Haut du corps** Pour muscler cette zone, servez-vous d'un Cercle Magique ou d'un ballon de 40 cm de diamètre. En phase I, maintenez cet accessoire juste au-dessus des tibias. Tendez les bras vers l'arrière, au-dessus de votre tête, et pressez fortement le cercle ou le ballon. Gardez les coudes légèrement fléchis.

pieds dans la position de Pilates

paumes tournées vers le corps

2 Tout en inspirant, tendez les bras vers l'arrière, à environ 45°, et les jambes vers l'avant, selon le même angle. Tête levée, continuez à rentrer l'abdomen. Placez vos jambes en extension, et faites légèrement pivoter vos pieds pour former un V.

3 Expirez et étendez les bras latéralement. Faites-leur exécuter un mouvement semi-circulaire vers les hanches avant de plier les genoux pour reprendre la position de départ. Répétez 5 à 8 fois la totalité de cet enchaînement. Ensuite, asseyez-vous, dos droit, pour l'Étirement dorsal vers l'avant (*p. 32 à 33*).

▲ **Bas du corps** Dans cette variante plus élaborée, qui tonifie et raffermit fesses et muscles de la face interne des cuisses, faites appel à l'un de ces accessoires. Coincez-le entre vos chevilles et exécutez l'exercice comme vous le feriez d'ordinaire. Comprimez-le en étendant les jambes.

▲ **Souplesse et posture** Pour accroître la souplesse des hanches et de la région lombaire, étreignez fermement vos genoux en les ramenant sur votre poitrine. Laissez le rachis lombaire se décoller légèrement du tapis en s'incurvant. Afin d'étirer épaules et muscles thoraciques, tendez les bras vers l'arrière, largement au-delà des oreilles.

ÉTIREMENT DORSAL AVANT

Bonne posture et dos solide sont deux objectifs qu'il faut s'efforcer d'atteindre. Cet étirement vous enseigne comment prendre la position assise, dos droit. Il entretient également la souplesse et le tonus de vos muscles paravertébraux. C'est le dernier exercice du programme de base.

1 Asseyez-vous, dos aussi droit que possible, jambes légèrement plus écartées que d'une largeur de bassin, et bras tendus devant vous. Tendez les pieds vers le haut et poussez les talons vers l'avant. Abaissez vos épaules et rentrez le ventre en le remontant.

bras parallèles
aux jambes

PERSONNALISATION DU PILATES

En début de 2ᵉ semaine, ou dès que l'exercice ci-dessus est assimilé, essayez différentes variantes afin de répondre à vos besoins spécifiques. À droite, trois possibilités sont offertes, selon le programme retenu.

Impératifs : • Ne tassez pas votre colonne vertébrale; au contraire, tirez-la vers le haut.

• Ne vous affaissez pas. Imaginez-vous faisant épouser à votre rachis la courbure d'un gros ballon.

• Faites travailler vos bras : même le bout des doigts a de l'énergie.

              Simplification : Fléchissez les genoux et détendez vos pieds.

                  Perfectionnement : Amplifiez l'étirement à l'aide d'un accessoire comme le Cercle Magique.

Faites appel au Cercle Magique ou à un ballon (40 cm de diamètre) pour vous muscler davantage.

▲ **Haut du corps** Pour muscler davantage vos bras, servez-vous du Cercle Magique ou d'un ballon de 40 cm. Exécutez l'exercice comme d'habitude mais en comprimant cet accessoire tandis que vous vous courbez vers l'avant. Ce faisant, gardez les coudes fléchis.

le rachis s'incurve en arc de cercle

rentrez et remontez l'abdomen

2 Inspirez et sensibilisez-vous à l'élancement de votre taille. Expirez en commençant à vous courber vers l'avant tout en plongeant la tête entre les bras. Continuez à rentrer le ventre et poursuivez ce mouvement qui doit amener le sommet de votre tête de plus en plus près du sol.

3 En partant de sa base, rentrez le ventre au maximum et redressez-vous lentement en déroulant vos vertèbres l'une après l'autre. Ce faisant, inspirez et faites adopter à votre colonne vertébrale un profil rectiligne, la tête achevant le mouvement. Recommencez de 3 à 5 fois.

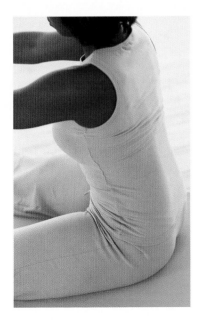

◀ **Bas du corps** Contractez vos fessiers juste avant de courber la colonne vertébrale, car ils doivent travailler quand vous vous étirez vers l'avant. Contractez aussi les cuisses, amenant ainsi les creux poplités en appui sur le tapis.

▲ **Souplesse et posture** Durant la phase 2, courbez le dos vers l'avant et saisissez vos voûtes plantaires en laissant vos genoux se plier. Maintenez cette position tout en étendant lentement les jambes.

CONCLUSION DE LA 1^E SEMAINE

À certains égards, la première semaine de Pilates était la plus facile. Il me suffisait d'en formuler une présentation aussi fidèle que possible. Ma fonction consistait simplement à en exposer le contenu, à insister sur les principes et à exiger le meilleur de mes "élèves". En termes de programmes individuels, les semaines suivantes tiendraient bien davantage du défi. Dès lors, notre leitmotiv serait : "des résultats, encore des résultats, toujours des résultats".

PROGRÈS ACCOMPLIS

Ayant acquis la maîtrise des sept exercices de base (*p. 20 à 33*), nous étions maintenant prêtes à nous éloigner du programme classique. Au bout d'une semaine de pratique sérieuse, mes élèves avaient toutes trois assimilé l'essentiel des subtilités qui caractérisent le Pilates. Elles s'étaient familiarisées avec le fait de "rentrer l'abdomen" (*p. 11*) et comprenaient que, quelle que soit la zone corporelle à faire travailler, un foyer énergétique à la fois puissant et souple serait leur tremplin vers un corps plus sain.

DES RÉSULTATS OPTIMUMS

Par ailleurs, nous avons également étudié les modalités selon lesquelles le psychisme constituerait un facteur primordial dans leur remodelage corporel, notamment si on se réfère à la notion de travail en fonction du seuil de souffrance, c'est-à-dire à partir duquel le niveau de tolérance maximum, propre à chacun de nous, est dépassé. Or, afin d'améliorer votre forme et de gagner en force ou en souplesse, vous devez être capable de fournir un effort qui lance un défi à votre corps. Si vous pouvez vous redresser aisément huit fois de suite, mais que vous ne pouvez le faire neuf fois, exécutez toujours huit fois ce mouvement et essayez régulièrement de lui en ajouter un neuvième. Si, en contrôlant votre alignement et en étendant la jambe, vous êtes obligée de fournir un effort, c'est toujours ainsi que vous devez procéder. Bref, si un exercice paraît facile, c'est que votre effort est insuffisant ou que vous êtes en deçà de votre tolérance maximale.

Notre nombre de semaines étant limité, je devais choisir les exercices les plus efficaces pour obtenir des résultats significatifs et mesurables. Ayant résolu ce problème, j'ai fixé à chacune les objectifs suivants :

EREKA (HAUT DU CORPS) : Tonification des deltoïdes antérieurs et latéraux, des biceps, triceps, grands droits, et des muscles dorsaux ; amélioration de la maîtrise musculaire.

TAI (BAS DU CORPS) : Musculation des quadriceps, adducteurs et fessiers; amélioration de la souplesse des jarrets et tonification des abducteurs.

CASEY (SOUPLESSE ET POSTURE) : Augmentation de la mobilité lombaire, tonification des abdominaux, et musculation des dorsaux en vue d'une plus grande souplesse ; dégagement de la poitrine et relâchement des deltoïdes afin d'améliorer la posture.

UNE APPROCHE HOLISTIQUE

Nantie d'une liste d'objectifs clairement définis, je devais maintenant composer chaque programme à partir des 34 enchaînements figurant dans la séance d'exercices Pilates au sol. Tout en passant leur contenu au crible, je me rendis compte que leur choix importait peu, car je ne pourrais pas en limiter les bienfaits à une seule zone corporelle.

Étant donné le caractère holistique de cette méthode et le fait que les exercices présentent des aspects multiples, mes élèves allaient bénéficier d'une séance intégrale quel que soit leur programme. En fonction de vos besoins ou intérêts spécifiques, si vous optez pour le Pilates, vous ferez travailler tous vos muscles, puisqu'il a pour but de rendre une condition physique optimale en considérant le corps comme un tout — il est simplement impossible d'amputer un exercice et d'en restreindre la cible corporelle. Naturellement, c'est ce qui en fait la noblesse. Cette gymnastique s'inscrit dans une approche multifonctionnelle de l'être.

À la fin de leur première semaine, nos trois démonstratrices étaient curieuses de connaître la suite de leurs programmes respectifs.

MODES D'APPRENTISSAGE

Enseigner est une affaire d'échange d'informations, et ma t âche consiste à trouver l'association de mots et d'images la plus juste pour expliquer un mouvement. Au cours des neuf semaines suivantes, je devais transmettre des informations efficaces. Or, souvent, lors d'un cours particulier, la clef de la réussite réside dans son mode d'apprentissage. Après avoir analysé le travail effectué durant la première semaine, j'ai rangé chaque démonstratrice dans une catégorie précise.

Ereka *assimile sur le mode verbal*, puisqu'il lui suffit d'écouter mes explications. En fait, auparavant, je la touchais trop, ce qui semblait parasiter son mécanisme d'apprentissage. Quant à Tai, elle *apprend sur le mode visuel*, car elle comprend aisément en m'observant exécuter le mouvement, ou en se regardant dans une glace. Enfin, Casey *enregistre sur le mode tactile*, car elle a besoin d'un contact physique, comme c'est le cas lorsque je la saisis pour lui faire prendre une position afin qu'elle mémorise la correction effectuée.

QUEL EST LE VÔTRE ?

Avant de poursuivre les 2ᵉ, 3ᵉ et 4ᵉ semaines, consacrez un instant à déterminer votre mode d'apprentissage. Par exemple, si vous appreniez à faire du vélo, quelle manière de faire vous paraîtrait la plus simple, préféreriez-vous qu'on vous montre comment faire (mode visuel) ? Ou qu'on vous l'explique (mode verbal) ? Ou apprendriez-vous mieux si on plaçait vos mains et vos pieds comme il faut (mode tactile) ? Ces quelques instants permettront d'assimiler plus vite et plus efficacement.

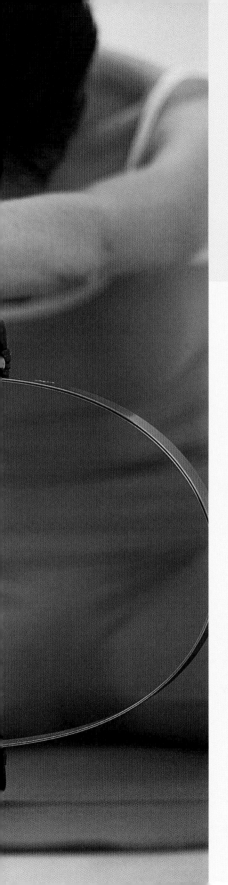

PROGRAMME POUR LE HAUT DU CORPS

Vos dos, thorax et bras sont soumis à rude épreuve au cours d'une journée : se tenir debout, soulever et porter exigent force, endurance et équilibre de la partie supérieure de votre corps. Ce programme est conçu pour améliorer ces trois paramètres, et donc sculpter vos bras et vos épaules, et modeler les muscles de votre dos tout en mettant votre poitrine en valeur. À raison de seulement trois séances par semaine, il vous permettra d'acquérir une silhouette plus attrayante et plus équilibrée.

APERÇU DU PROGRAMME

Le "film" ci-dessous présente la totalité du programme destiné à la partie supérieure du corps. Les exercices se succèdent dans l'ordre où ils doivent être exécutés, non dans celui où ils vous sont enseignés. Au fil des semaines, vous en ajouterez d'autres peu à peu, mais en commençant toujours par ceux du programme de base, pour terminer par les exercices figurant dans les 8ᵉ, 9ᵉ et 10ᵉ semaines.

Échauffement
(p. 20 et 21)

Déroulez la colonne vertébrale
(p. 22 et 23)

Enroulement
(p. 40 et 41)

Rotations d'une
jambe (p. 24 et 25)

Roulez comme une
(p. 26 et 27)

Étirement dorsal vers l'avant
(Avec le Cercle Magique,
p. 44 et 45)

Coups de pied unilatéraux
(p. 54 et 55)

Coups de pieds bilatéraux
(p. 56 et 57)

Appui avant sur une jambe
(p. 64 et 65)

Cercle Magique I
Poitrine (p. 68)

Cercle Magique I
Au-dessus de la tête
(p. 69)

Cercle Magique I
Aux hanches (p. 69)

Cercle Magique II
Pompage (p. 70)

Cercle Magique II
Sur la hanche (p. 71)

Cercle Magique II
En arrière (p. 71)

DÉROULEMENT DU PROGRAMME

Votre programme personnel débute à la 2ᵉ semaine, à partir de laquelle, toutes les 3 semaines, intégrez un nouveau groupe d'exercices à votre séance, codé par une couleur. Exécutez tous les enchaînements du programme de base, codé en jaune, durant la 1ᵉ semaine. Au cours des 2ᵉ, 3ᵉ et 4ᵉ semaines, ajoutez ceux codés en bleu. Ensuite, incorporez les nouveaux codés en rose

(5e, 6e et 7ᵉ semaines). Enfin, ceux codés en vert (8ᵉ, 9ᵉ et 10ᵉ semaines). Livrez-vous à ces exercices dans l'ordre ci-dessous, en enrichissant, toutes les 3 semaines, votre programme d'une nouvelle couleur. Exécutez tous ceux que vous maîtrisez en "sautant" ceux qui ne vous ont pas encore été enseignés, de gauche à droite et de haut en bas. Parvenu à la dernière semaine, vous devez couvrir l'intégralité de l'enchaînement ci-dessous.

Étirement d'une jambe
(p. 28 et 29)

Étirement des jambes
(p. 30 et 31)

Étirement jambe tendue
(p. 42 et 43)

Étirement dorsal
(p. 32 et 33)

Appui arrière sur une jambe
(p. 66 et 67)

Poussées
(p. 46 et 47)

Ramer 1 : Va-et vient vertical (p. 58)

Ramer 1 : L'étreinte
(p. 59)

Musculation avant des biceps (p. 48)

Musculation latérale des biceps (p. 49)

La fermeture éclair
(p. 50)

Bras : va-et-vient vertical (p. 51)

La boxe
(p. 60)

Le battement d'ailes
(p. 61)

Semaines

DEUX, TROIS, QUATRE

Les règles et principes fondamentaux appliqués durant le programme de base valent également pour les trois semaines suivantes, et au-delà. Ces exercices vous permettront de gagner en force, tonus et mobilité, mais c'est à vous d'en augmenter l'efficacité par la concentration et la régularité.

ENROULEMENT

Traditionnellement, cet exercice s'exécute avec un haltère. Ici, nous le remplaçons par un ballon ou le Cercle Magique, si ce n'est que nous ajoutons le facteur résistance et une indication visuelle concernant les muscles des bras. Tandis que vous effectuez ce mouvement, rappelez-vous que cet accessoire est un outil, non une aide. Maintenez constamment la pression sur le ballon ou les coussinets du Cercle.

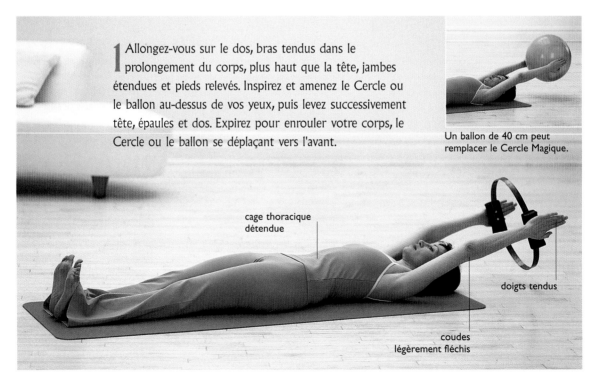

1 Allongez-vous sur le dos, bras tendus dans le prolongement du corps, plus haut que la tête, jambes étendues et pieds relevés. Inspirez et amenez le Cercle ou le ballon au-dessus de vos yeux, puis levez successivement tête, épaules et dos. Expirez pour enrouler votre corps, le Cercle ou le ballon se déplaçant vers l'avant.

Un ballon de 40 cm peut remplacer le Cercle Magique.

cage thoracique détendue

doigts tendus

coudes légèrement fléchis

2 Continuez à vous courber vers l'avant. Rentrez l'abdomen comme s'il offrait une résistance à l'étirement vers l'avant. Quand vous atteignez la position assise, dos droit, penchez la tête entre vos bras, et veillez à abaisser les épaules.

maintenez la pression sur le Cercle

gardez les coudes fléchis

REMARQUES

• **Concentrez-vous sur le foyer énergétique** et la mobilité du rachis.

• **Si vous avez du mal** à maintenir vos jambes au sol, munissez vos chevilles de petits haltères ou coincez vos pieds sous un meuble, tel qu'un divan.

• **Fléchissez les genoux** pour faciliter les mouvements si votre zone lombaire présente des tensions.

• **Créez une résistance.** Quand le Cercle ou le ballon atteint vos pieds (phase 3), ne vous affaissez pas sur vos jambes. Imaginez que vous êtes tirée en arrière à hauteur de la taille.

• **Si vous ne pouvez pas** exécuter cet exercice, ne vous servez ni du Cercle Magique ni du ballon.

épaules relâchées

3 Lorsque l'accessoire arrive juste au-dessus de vos orteils, inspirez avant de commencer à vous dérouler vers l'arrière et le sol. Expirez tandis que, l'une après l'autre, vos vertèbres reprennent contact avec le tapis. Bras toujours tendus, ramenez-les en arrière en évitant toute dilatation de la cage thoracique. Répétez 5 à 8 fois cet enchaînement.

ÉTIREMENT, JAMBE TENDUE

Troisième de ceux destinés aux abdominaux, cet exercice est l'exemple-type de mouvement qui peut être précisément adapté à vos besoins. Il permet de développer naturellement ces muscles, ainsi que, moyennant un petit effort de concentration, ceux du haut du corps, et d'acquérir de la souplesse.

1 Allongée sur le dos, pliez les genoux et amenez-les contre votre poitrine. Si possible, gardez en permanence tête et épaules au-dessus du tapis. Veillez à ce que vos lombes et le haut de vos fesses restent en contact avec lui. Évitez de soulever vos hanches.

tenez bien vos chevilles

respectez le rectangle de Pilates – ne faites aucun mouvement latéral

2 À la faveur d'un mouvement fluide, levez une jambe et étirez l'autre pour que, de profil, elles forment un V très ouvert. Saisissez la cheville en position haute et tirez-la vers vous en deux temps tout en ménageant votre confort. Si vous ne pouvez pas l'atteindre, faites glisser vos mains jusqu'à votre cuisse et maintenez l'autre jambe dans une position légèrement plus haute. Tirez fortement vers vous la jambe en position haute.

TRAVAIL PERSONNEL MONTEZ,
DESCENDEZ, MONTEZ...

Pour compléter cet exercice tout en développant triceps,
biceps et grands dorsaux, appuyez-vous sur le bord d'un siège
ou d'un divan ferme et exécutez ces mouvements. Vos fesses
doivent être près du bord. Étant donné qu'Ereka a de très
longs bras, elle entame l'exercice en plaçant ses fesses un peu
plus loin. Placez votre corps comme si vous étiez assise sur
une chaise imaginaire. Placez vos mains derrière vous sur le
bord du siège pour soutenir votre poids. Joignez les jambes et
commencez à abaisser vos fesses en pliant fortement les bras.
Ensuite, étendez-les pour vous relever, et recommencez.
Exécutez 3 enchaînements 8 fois de suite. Réservez cela à vos
jours de congé, ou à la fin de votre séance.

3 Changez rapidement de jambe en effectuant des ciseaux
(si nécessaire, réduisez l'amplitude du mouvement).
Lorsque vous tirez une jambe vers vous, veillez à garder les
omoplates en appui sur le tapis. Sur le plan respiratoire,
inspirez sur 2 ciseaux et expirez sur 2 autres. Exécutez de 5
à 8 enchaînements successifs.

gardez les
yeux fixés
sur votre
foyer
énergétique

ÉTIREMENT DORSAL VERS L'AVANT

Cette variante de l'exercice figurant dans le programme de base (*p. 32–33*) fait appel au Cercle Magique ou à un ballon de 40 cm de diamètre pour muscler le haut du corps. Ces accessoires, qui offrent une résistance, augmentent la portée de votre séance. Pour en recueillir tous les bienfaits, n'oubliez pas de presser constamment le Cercle ou le ballon, et non seulement par moments.

Un ballon de 40 cm peut remplacer le Cercle Magique.

1 Répétez plusieurs fois l'étirement dorsal vers l'avant (*p. 32–33*), et placez le Cercle Magique ou le ballon à environ une longueur de bras devant vous, sur le tapis. Mettez l'une de vos mains sur l'autre, rentrez le ventre et remontez-le

étirez les jarrets

gardez les pieds tournés vers vous

n'abaissez pas
épaules ou cou

2 Inspirez en rentrant
l'abdomen. Expirez en
amenant votre tête entre vos
bras et en donnant à votre
rachis une courbure en C. Ce
faisant, pressez le Cercle ou le
ballon et maintenez cette
pression tandis que vous vous
courbez en avant. Gardez les
bras tendus, coudes fléchis.

3 Inspirez et retournez à votre position
de départ, dos droit et ventre à la fois
rentré et remonté. Déroulez vos vertèbres
l'une après l'autre pour faire prendre à
votre rachis un profil rectiligne.
Recommencez de 3 à 5 fois.

REMARQUES

- **Maintenez le Cercle Magique** perpendiculairement au sol – empêchez-le d'osciller.
- **Pour éviter de courber** le cou, pensez à abaisser la face postérieure des bras.
- **Comprimez le Cercle** ou le ballon sans à-coups.
- **Tirez votre colonne** vers le haut, puis courbez-vous, mais sans vous affaisser.
- **Déliez vos coudes.** Vos bras doivent être tendus, sans forcer, lorsque vous pressez le Cercle ou le ballon. Ne verrouillez pas les coudes.
- **Prenez votre temps.** Comptez lentement jusqu'à 3 pour intensifier peu à peu l'étirement. Résistez à la tentation de vous courber et de maintenir la position.

POUSSÉES

Traditionnellement appelées des "pompes", elles constituent souvent pour les femmes un défi difficile à relever. Cette variante préparatoire est un bon point de départ dans l'acquisition de la forme et d'un schéma psychomoteur approprié. Une fois que vous l'aurez maîtrisée, vous évoluerez vers les poussées de type Pilates (*p. 73*).

1 Dos droit et debout à l'extrémité arrière du tapis, placez vos jambes dans la position de Pilates. Courbez-vous lentement en direction du sol à partir de la taille. Baissez la tête et commencez à vous enrouler lentement vers le tapis. Ce faisant, veillez à ne pas faire porter votre poids sur les calcanéums (os du talon). Gardez plutôt vos hanches à l'aplomb des pieds.

soutien de la taille

mains à l'aplomb des épaules

2 Mains en appui sur le tapis, parcourez-le vers l'avant jusqu'à ce que votre corps soit en position pour exercer des poussées verticales. Agenouillez-vous et pliez les genoux pour lever les pieds vers le plafond, genoux et pieds joints. Gardez épaules, hanches et genoux alignés. Soutenez votre région lombaire en contractant les fessiers. Ici, je soutiens les abdominaux et la région lombaire d'Ereka pour améliorer l'alignement précité et lui faire rentrer le ventre.

coudes serrés contre le corps

fessiers contractés

jambes jointes

3 Pliez les bras pour abaisser votre corps tout en maîtrisant ce mouvement. Serrez les coudes. Ne projetez pas le menton en avant. Descendez presque jusqu'au tapis, puis remontez. Exécutez 3 enchaînements composés chacun de 3 à 5 répétitions, en marquant une pause entre chaque (*voir phase 4*).

4 À la fin de chaque enchaînement, amenez les fessiers sur les talons pour soulager la région lombaire. Gardez la tête basse entre vos bras étendus sur le sol. Ce faisant, respirez naturellement, mais continuez à rentrer le ventre.

TRAVAIL PERSONNEL ÉTIREMENT DES TRICEPS

Afin d'équilibrer musculation et étirement, prenez l'habitude de détendre vos triceps. C'est lorsqu'il est exécuté quand le corps s'est échauffé que cet exercice est le plus efficace. Tendez un bras au-dessus de votre tête et placez votre main dans le dos en amenant votre coude aussi loin que possible derrière la tête sans ressentir de gêne. Votre main doit s'appliquer près de l'axe vertical du corps. De l'autre main, saisissez votre coude – ici, le droit – en évitant de baisser la tête ou de vous "tasser". Au contraire, gardez-la bien droite et la poitrine dégagée. Exercez une légère traction sur votre coude, mais en direction de la médiane du corps. Restez ainsi 10 à 15 secondes, et relâchez votre effort. Réservez cet exercice à vos jours de congé, ou à la fin de votre séance.

MUSCULATION AVANT DES BICEPS

Les exercices consacrés aux bras sont une remarquable composante de la séance de Pilates pratiquée au sol. Servez-vous d'haltères de 1-1,5 kg et, pour augmenter la difficulté (*voir Sachez résister, p. 58*), travaillez en luttant contre une résistance imaginaire. Faites participer votre foyer énergétique et surveillez votre profil dans une glace afin de contrôler posture et alignement.

détendez cou et épaules

contractez la face postérieure des jambes

créez une résistance chaque fois que vous pliez et étendez les bras

ne vous penchez pas en arrière – restez bien droite

1 Debout, prenez la position de Pilates. Imaginez que, sur l'arrière de vos jambes, une fermeture Éclair va de vos talons à votre postérieur, et contractez les fessiers. Prenez les haltères et tendez les bras, légèrement fléchis, à hauteur d'épaules, paumes tournées vers le haut.

2 Gardez les coudes à hauteur d'épaules tout en pliant les bras vers celles-ci. Répétez ce mouvement, ainsi que l'extension, 5 fois. Inspirez chaque fois que vous les pliez, et expirez lorsque vous les étendez. Répétez ce mouvement 8 à 10 fois. Passez immédiatement à la Musculation latérale des biceps (*voir page suivante*).

MUSCULATION LATÉRALE DES BICEPS

Outre les biceps, et en modifiant l'angle de vos bras, vous pouvez faire travailler les deltoïdes médians. Or, après avoir exécuté l'exercice précédent, une fatigue musculaire peut se manifester. Dans ce cas, marquez une pause avant de poursuivre et, pour ne pas surmener vos bras, entamez le mouvement à partir de votre foyer énergétique.

gardez une bonne posture et la position de Pilates

1 Abaissez les bras devant vous et ramenez-les aussitôt en arrière et vers l'extérieur. Gardez-les dans votre champ visuel et détendez vos poignets. Vos paumes doivent être tournées vers le haut.

2 Levez les avant-bras vers le plafond. Répétez ce mouvement 5 fois en inspirant à l'effort et en expirant à l'extension. Recommencez 8 à 10 fois.

TRAVAIL PERSONNEL
MUSCULATION PECTORALE

Une fois prête, livrez-vous à cet exercice complémentaire. Son rôle est identique à celui de la classique machine à développer les pectoraux utilisée dans les gymnases. À partir de la dernière répétition de la Musculation latérale des biceps, gardez les bras pliés et rapprochez-les devant vous, paumes et faces internes des coudes tournées les unes vers les autres. À chaque mouvement, créez une résistance en pressant vos bras l'un contre l'autre avant de les écarter rapidement. Recommencez 10 fois. Réservez cet exercice à vos jours de congé, après ceux destinés aux biceps, ou à la fin de votre séance.

REMONTER LA "FERMETURE ÉCLAIR"

Des biceps (*p. 48–49*), nous passons directement aux triceps, muscles situés sur la face postérieure des bras. Le premier exercice que nous leur consacrons s'appelle "Remonter la fermeture Éclair". Comme toujours lorsque nous faisons travailler les bras avec des haltères, vous devrez lutter contre une résistance imaginaire.

coudes plus haut que les mains

1 Debout dans la position de Pilates, tenez les haltères juste devant vos cuisses. Répartissez votre poids de manière égale entre vos voûtes plantaires. Ne vous penchez ni en avant, ni en arrière. Vos paumes doivent être tournées vers vous, et votre abdomen, rentré et remonté.

2 Levez les haltères en suivant l'axe du corps, et jusque sous le menton. Le cou doit rester détendu, et les épaules, non voûtées. Inspirez en levant les haltères, coudes si possible tournés vers l'extérieur. Expirez lorsque vous baissez les bras en les étirant fortement pour les ramener à leur position de départ. Recommencez 5 à 8 fois. Passez immédiatement au Va-et-vient vertical (*voir page suivante*).

VA-ET-VIENT VERTICAL

Ce mouvement est le dernier des exercices consacrés aux bras faisant appel à des haltères. Ici, ces membres exécutent un va-et-vient vertical, mais restent près du corps. Étant donné sa dynamique particulière, déportez légèrement votre poids vers l'avant, c'est-à-dire sur vos avant-pieds.

regardez droit devant vous

étendez les bras

1 Debout dans la position de Pilates, inspirez en abaissant les haltères derrière votre tête et en tendant légèrement la nuque. Laissez-les descendre jusqu'à celle-ci. Veillez à détendre votre cage thoracique et à écarter le plus possible les coudes lorsque vous abaissez vos bras.

2 Expirez et tendez bien les bras au-dessus de l'avant de votre tête. Faites comme si les haltères offraient une résistance supérieure à la réalité. Exécutez 5 va-et-vient de plus. Recommencez 8 fois.

TRAVAIL PERSONNEL
ÉTIREMENT LATÉRAL

Avec les haltères, levez un bras sur le côté de la tête, l'autre oscillant le long du corps. Imaginez que le bras tendu vous soulève en exerçant une traction dirigée vers le côté opposé. Ne vous courbez pas en avant ; concentrez-vous sur la traction vers le haut. Rentrez la cage thoracique et maintenez l'étirement de 3 à 5 secondes. Accentuez-le pour revenir à la position de départ en faisant glisser le bras tendu le long du corps pour changer de côté.

PROGRÈS D'EREKA : BILAN PARTIEL

POINT DE VUE D'EREKA

"Je lis toujours que telle ou telle célébrité a pratiqué la méthode X, Y ou Z pour se forger un corps de rêve et, récemment, l'accent a été mis sur celle de Pilates, considérée comme la recette secrète. Habitant New York, je m'interresse beaucoup à ce que je ne connais pas, en particulier aux pratiques de remise en forme permettant d'acquérir des corps enviables. Certes, il m'est arrivé de suivre de temps à autre des séances de Pilates — exercices au sol — mais je n'avais jamais pris de cours particuliers, ni utilisé les appareils bizarres mis au point par son fondateur.

Alycea, après avoir examiné mes bras maigres, décida que je devais faire porter mes efforts sur eux. Contribuer à démontrer la validité de *La Promesse de Pilates* était un peu intimidant, mais j'étais enthousiasmée à la perspective de la vivre autrement, et bien plus encore à celle de repartir avec un corps nouveau agréable à regarder".

APPRÉCIATIONS D'ALYCEA

Au bout de 10 séances, étant donné qu'Ereka travaillait avec les haltères ou avec le Cercle, la musculature de ses bras prenait du relief. Toutefois, je remarquais davantage sa force nouvellement acquise sur une période relative courte. Ainsi, en à peine 3 semaines, elle était passée des poussées exécutées à genoux (*p. 46–47*) aux Poussées traditionnelles (*page suivante*).

Pour moi, elle représentait un défi à certains égards. En effet, il était presque trop facile de lui enseigner le Pilates. Son corps était mince et, en raison de ses antécédents de danseuse, elle assimilait très vite. Au cours des premières séances, j'avais constaté que nous couvrions trop vite une grande partie du programme. Nous devions donc ralentir notre rythme et examiner d'un peu plus près ses habitudes gymniques. J'entamai la séance suivante en observant comment elle suivait mes indications et c'est alors que je compris ce qui se passait : elle imitait presque tous les mouvements en les exécutant superficiellement. Si la plupart d'entre eux semblaient parfaits, ils ne débutaient pas là où il le fallait. Elle abordait les séances comme s'il s'agissait de répétitions chorégraphiques. Quel changement spectaculaire lorsque nous ralentîmes le rythme pour prêter attention aux détails de chaque exercice ! Sa cadence de travail s'améliora et, surtout, elle commença à faire de réels efforts, ponctués par la sueur perlant pour la première fois au niveau de ses sourcils.

PROGRESSEZ

Si vous pouvez répondre "oui" aux questions ci-dessous, passez aux 10 exercices suivants :

Avez-vous mémorisé les exercices du programme de base ? C'est votre arme secrète. Même si vous n'avez pas de temps à consacrer au programme intégral, vous pouvez les pratiquer n'importe quand, et n'importe où.

Pouvez-vous exécuter les 100 mouvements d'échauffement ? Il faut compter jusqu'à 100 (c'est-à-dire que chaque cycle respiratoire — il y en a 10 —

correspond à 5 inspirations et à 5 expirations).

Avez-vous assimilé la notion de bras tendus, coudes fléchis ? Le verrouillage des articulations parasite et retarde l'activité et la tonification musculaires, notamment lorsqu'on se sert d'un ballon ou du Cercle.

Avez-vous acquis une bonne posture debout et un alignement correct durant les exercices des bras ? Si vous vous laissez aller ou si vous vous tenez mal en station debout, d'autres muscles remplaceront ceux qui doivent travailler.

COMMENTAIRES

Au cours des quatre premières semaines, nous avons modifié plusieurs exercices pour affiner la maîtrise corporelle d'Ereka. À mesure qu'elle gagnait en force et en confiance en soi, d'autres mouvements ont été accentués. Ainsi, pour améliorer l'Étirement dorsal avant (I^e semaine), nous avons utilisé le Cercle Magique (*p. 44–45*). Pour les bras (*p. 48–51*), Ereka utilisa d'abord des haltères de 1 kg puis, en raison de sa forme, très rapidement, d'autres de 1,5 kg. Ci-dessous figurent d'autres modifications introduites pour évaluer ses progrès et accentuer son programme. Toutes ces variantes étant facultatives, vous pouvez les intégrer au vôtre dès que vous êtes prête. Vous pouvez remplacer le Cercle Magique par un ballon de 40 cm de diamètre.

▲ **Échauffement** En guise de variante destinée au haut du corps, Ereka ajoute le Cercle Magique au premier exercice (p. 20-21). Elle le tient d'abord en n'exerçant qu'une légère pression. Enfin, pour gagner en force, elle pratique sur lui un mouvement de pompage.

▲ **Rotations d'une jambe** Utiliser le Cercle Magique ou un ballon pour faire travailler le haut du corps renforce l'idée que tous les muscles doivent travailler ensemble. Pour montrer à Ereka le mouvement que sa jambe doit effectuer, je l'ai guidée lors de la première répétition.

◄ **Poussées ("pompes")**
Dès qu'elle acquit la maîtrise des Poussées en position agenouillée (p. 46-47), je l'ai faite passer aux Poussées classiques. S'étant mise en appui sur les mains et la pointe des pieds, Ereka commença par exécuter de petites poussées, rapprochant à chaque fois davantage son corps du tapis. Ensuite, gagnant en force (voir aussi p. 73), elle augmenta peu à peu l'amplitude de ses mouvements.

SEMAINES

CINQ, SIX, SEPT

Cette seconde phase du programme destiné à la partie supérieure du corps présente des exercices plus complexes qui, non seulement en développent les muscles, mais les étirent. Ce passage en comporte également plusieurs faisant appel à de petits haltères.

COUPS DE PIED UNILATÉRAUX

Cet exercice est la premier de ceux exécutés à plat ventre. En règle générale, la méthode Pilates évite ce type de mouvement jusqu'à ce que le foyer énergétique soit suffisamment solide pour soutenir une colonne vertébrale en extension. Le travail déjà effectué sur le centre dynamique du corps, durant les quatre premières semaines, permet de se concentrer sur le développement et l'étirement des muscles thoraciques.

1 Allongez-vous sur le ventre et prenez appui sur les coudes. Placez vos bras devant vous pour que, avec les avant-bras, ils forment un demi-cercle, poings réunis. Rentrez l'abdomen et serrez vos jambes pour contracter les fessiers. Abaissez les omoplates en les tirant vers l'arrière.

Les bras se placent en demi-cercle devant vous.

abdominaux décollés du sol

les os iliaques restent en contact avec le tapis

thorax levé

fessiers contractés

genoux joints

2 Pliez une jambe pour frapper deux fois les fesses. Puis ramenez votre jambe au sol tout en pliant l'autre. Continuez à passer énergiquement d'une jambe à l'autre, vous donnant ainsi deux bons coups de pied. Ce faisant, veillez à garder les hanches en contact avec le sol.

jambes serrées l'une contre l'autre

3 Prolongez ces mouvements énergiques et rapides en changeant de jambes tous les deux coups de pied. N'abaissez pas le haut du corps, mais soulevez-le en prenant un solide appui sur le tapis, et ne voûtez pas vos épaules. Répétez cet enchaînement 4 à 5 fois. Respirez naturellement.

TRAVAIL PERSONNEL AIGLE EN VOL

Une fois prête, exécutez cet exercice pour solliciter vos muscles thoraciques supérieurs. Il favorise l'étirement du rachis. Allongez-vous à plat ventre sur le tapis, bras tendus devant vous, tête et bras soulevés. Maintenez cette position et décrivez lentement un demi-cercle amenant vos bras sur les côtés, puis en arrière, tout en vous haussant davantage. D'un mouvement lent et régulier, ramenez les bras devant vous et revenez à la position de départ. Vous pouvez écarter très légèrement les jambes pour ménager votre rachis lombaire. Recommencez 1 à 2 fois, et reposez-vous.

COUPS DE PIEDS BILATÉRAUX

Pour que la séance soit équilibrée, il convient d'y faire figurer quelques exercices comme celui-ci. Un joli modelé des bras et sa mise en valeur nécessitent bonne posture et souplesse des muscles thoraciques, qu'il étire tout en augmentant la mobilité des épaules et en tonifiant le dos

1 Allongez-vous sur le ventre, tête posée sur le côté, et jambes dans le prolongement du buste. Une de vos mains dans l'autre, paumes tournées vers le haut, placez-les à hauteur des lombes. Les coudes restent en contact avec le sol et les épaules sont détendues.

coudes au sol

D'une main, tenez l'autre, mais sans effort.

2 Os iliaques en appui sur le tapis, joignez les jambes. Inspirez et pliez les genoux tout en rapprochant vos pieds de votre postérieur. Ensuite, donnez-vous 3 coups de pieds énergiques, sans décoller les hanches du sol.

en vous donnant des coups de pieds, contractez les fessiers

3 Expirez et étendez jambes et bras tout en soulevant votre buste, ce mouvement partant de votre foyer énergétique. Ramenez votre buste au sol, tête posée de l'autre côté. Amenez les mains vers l'arrière pour reposer la partie supérieure du dos. Recommencez de l'autre côté. Répétez cet enchaînement 2 à 3 fois.

gardez les bras bien au-dessus des fesses

dégagez la poitrine et regardez devant vous

4 À la fin du dernier enchaînement, placez vos mains sur le tapis, à hauteur des épaules. Ensuite, pour étirer votre zone lombaire, exercez une poussée vers l'arrière, mouvement qui amène les fessiers en contact avec les talons.

REMARQUES

• **Coudes au sol.** Si vos coudes décollent du tapis, descendez vos mains vers la base du rachis. Remontez-les à mesure que vous améliorez votre technique.

• **Joignez les mains** tandis que votre buste se soulève. Profitez-en pour vous hausser davantage.

• **Ménagez votre dos** tandis que vous vous soulevez. Maîtrisez le mouvement avec les abdominaux – appuyez-vous sur votre taille.

• **Ultime effort.** Vos talons doivent frapper votre postérieur, mais il est impératif que vos pieds restent sur le tapis lorsque vous vous soulevez.

• **Soyez énergique.** Imaginez-vous fredonnant la cadence : "Coup de pied 2-3, étirement 2-3".

RAMER I : VA-ET-VIENT VERTICAL

D'ordinaire, ces exercices s'exécutent sur un appareil qualifié d'"universal reformer", mais on peut s'y livrer au sol en se servant de petits haltères. Pour muscler vos bras, en augmenter l'amplitude de mouvement et bien stimuler votre foyer énergétique, concentrez-vous sur une résistance imaginaire que vous devez vaincre à chaque mouvement.

coudes
bien
écartés

penchez-vous
très
légèrement
vers l'avant

cou et
épaules
détendus

TRAVAIL PERSONNEL
SACHEZ RÉSISTER

L'appareil cité ici, dans le paragraphe d'introduction, présent dans tout atelier Pilates, comporte des ressorts offrant une résistance d'intensité variable. Pour reproduire la sensation d'effort qu'ils procurent, vous devez travailler dans l'imaginaire. Afin de développer votre perception de l'antagonisme, pratiquez cet exercice. Asseyez-vous, bras formant un cercle, et imaginez que vos mains sont pressées l'une contre l'autre par une force qui vous empêche de les séparer. Essayez de les écarter lentement. Puis, exécutez le mouvement inverse. Maintenez la résistance en imaginant que vous fournissez un gros effort pour les rapprocher. Répétez 3 fois cet enchaînement.

1 Asseyez-vous jambes croisées sur le tapis, genoux aussi près que possible du sol. Un haltère de 1 kg dans chaque main, étendez les bras au-dessus de votre tête. En pliant les bras, amenez les haltères à hauteur de votre nuque. Rentrez le ventre et ne dilatez pas la poitrine.

2 Commencez par inspirer, puis expirez en levant les bras. Amincissez votre taille en rentrant fortement le ventre. Répétez ce mouvement 3 à 5 fois. En perspective de l'Étreinte (*voir page suivante*), restez assise.

RAMER II : L'ÉTREINTE

Cet exercice est excellent pour les deltoïdes (muscles de l'épaule) et les pectoraux (muscles de la poitrine). Une fois que vous avez assimilé les principes d'antagonisme et de résistance imaginaire, veillez à les appliquer à tous les exercices figurant dans votre programme. Ils vous aideront à tonifier et sculpter très rapidement votre corps.

rentrez le ventre en permanence

1 Assise, dos droit, étendez les bras latéralement. Leur alignement est le secret de muscles bien dessinés, aussi gardez toujours les épaules au-dessus des coudes, et ces derniers plus haut que vos poignets.

2 Tout d'abord, inspirez, puis expirez en pressant les mains l'une contre l'autre. Imaginez-vous expulsant tout l'air contenu dans vos poumons. Répétez 3 fois ce mouvement, puis inversez votre mode respiratoire: expirez en écartant les bras et inspirez en les rapprochant. Recommencez 3 fois.

BRAS: LA BOXE

La boxe développe la musculature dorsale supérieure et améliore la coordination psychomotrice. Afin d'optimiser les bienfaits de cet exercice, n'oubliez pas que votre dos s'appuie en fait sur votre foyer énergétique.

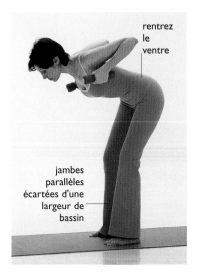

rentrez le ventre

jambes parallèles écartées d'une largeur de bassin

2 En expirant, tendez un bras en avant, l'autre en arrière. Inspirez en vous penchant et expirez en changeant la position des bras. Répétez cet enchaînement en "boxant", un bras dirigé vers le sol, l'autre vers le plafond.

Changez de bras sans déplacer votre corps latéralement.

tendez les bras dans le prolongement du tronc

1 Debout, penchez-vous en avant, tête et coccyx formant une ligne droite. Pliez genoux et coudes vers le haut pour que les mains soient juste au-dessous des aisselles.

tête pendante entre les bras

3 Exécutez 5 enchaînements consécutifs, et arrondissez le dos. Étirez doucement vos jambes, tête pendante, pour ménager votre rachis. Rentrez le coccyx et enroulez vos vertèbres l'une après l'autre. Maintenez cette position pour passer au Battement d'ailes (*page suivante*).

BRAS : LE BATTEMENT D'AILES

Pour exécuter ce mouvement, variante d'un exercice classique, nous plaçons le tronc presque parallèlement au sol pour faire travailler la musculature dorsale et les triceps. Ne confondez pas vitesse et efficacité - allez lentement et concentrez-vous.

jambes parallèles

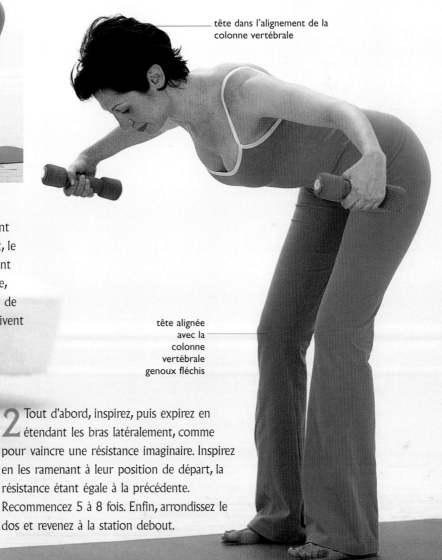

tête dans l'alignement de la colonne vertébrale

tête alignée avec la colonne vertébrale genoux fléchis

1 Penchez-vous à nouveau en avant et fléchissez légèrement les genoux. Gardez le dos plat, le ventre rentré et, en rapprochant les bras pour former un cercle, amenez les haltères à l'aplomb de votre sternum. Vos coudes doivent rester fléchis.

2 Tout d'abord, inspirez, puis expirez en étendant les bras latéralement, comme pour vaincre une résistance imaginaire. Inspirez en les ramenant à leur position de départ, la résistance étant égale à la précédente. Recommencez 5 à 8 fois. Enfin, arrondissez le dos et revenez à la station debout.

PROGRÈS D'EREKA : BILAN PARTIEL

POINT DE VUE D'EREKA

"J'ai toujours eu des bras longs et maigres aux muscles mal dessinés. Je n'ai jamais pu les développer malgré la pratique du yoga, de la course et des haltères. Or, le Pilates a déjà changé cela. Après 7 semaines comportant chacune 3 séances, je constate que, pour la première fois, les muscles de mes bras et de mon dos sont plus saillants. J'aime ça !

La route qui mène à une solide musculature des bras n'a pas été facile. Quiconque ne transpire pas en l'empruntant n'y a pas été formé par Alycea Ungaro. J'ai sué, j'ai souffert, mais cela n'était qu'une période transitoire ponctuée de rires. Alycea m'avait dit que muscler le haut de mon corps équi-librerait ma silhouette ; eh bien, aujourd'hui, je vois qu'elle avait raison. J'ai hâte de passer à la suite du programme."

APPRÉCIATIONS D'ALYCEA

Au bout de 20 séances, Ereka assimilait de mieux en mieux le contenu du programme et avait suffisamment musclé son foyer énergétique pour intégrer des exercices portant sur l'extension de la colonne vertébrale. Elle travaillait avec des haltères de 1,5 kg destinés aux mouvements exécutés avec les bras (p. 60–61) et augmentait le nombre de répétitions. Nous en avons aussi ajouté quelques autres, pris dans la série Ramer 1 (p. 58–59). Elle se plaignait parfois du fait que certains étaient trop durs, et n'estimait pas souffrir assez pour renoncer à la séance suivante.

Au cours de cette période, notre obstacle majeur était son seuil de douleur. Bien que se livrant à autant de répétitions et d'exercices différents qu'elle le pouvait, ses muscles présentaient une certaine fatigue, au point d'en faire travailler d'autres. Après 5 contractions des biceps, tout allait bien mais, au bout de huit, ses épaules se voûtaient. Le défi consistait à l'amener au-delà de sa plage de confort sans nuire à sa condition physique. Dans ce but, je l'ai incitée à se concentrer sur différentes zones corporelles pendant les phases les plus difficiles de sa pratique. Ainsi, durant les exercices exécutés avec les haltères, elle s'est concentrée sur son foyer énergétique et sa respiration, ce qui la distrayait du travail effectué sur les bras tout en la maintenant en forme. Ses résistance, technique et force commençaient à croître et s'améliorer.

PROGRESSEZ

Si vous pouvez répondre "oui" aux questions ci-dessous, passez aux 10 exercices suivants :

Pouvez-vous rentrer vos abdominaux lorsque vous exécutez des exercices à plat ventre ? De fait, un ventre "mou" soumet la région lombaire à une tension superflue et favorise les traumatismes.

Vos mouvements sont-ils fluides ? Pouvez-vous enchaîner les exercices sans à-coups, avec aisance et sans maladresse ?

Quand vous exécutez un exercice destiné aux bras, faites-vous consciemment participer votre foyer énergétique ? Ne vous laissez pas distraire par les accessoires tels qu'haltères ou Cercle Magique. Les mouvements doivent partir de votre foyer énergétique pour gagner les membres.

Votre respiration facilite-t-elle vos mouvements ? N'oubliez pas de pratiquer une expiration profonde à l'effort ; cela vous aidera à bien rentrer le ventre.

COMMENTAIRES

Dans la formation d'Ereka, cette période était critique, car il fallait développer chez elle une bonne mémoire musculaire tout en éliminant ses mauvaises habitudes. À mes yeux, il était important qu'elle aborde chaque mouvement avec sérieux et maîtrise au lieu de l'exécuter simplement avec élégance. Nous avons travaillé sur le thème suivant : faire partir l'effort de son foyer énergétique et exploiter un antagonisme imaginaire pour améliorer son équilibre et, finalement, sa force musculaire.

◀ **Coups de pieds bilatéraux** Ereka était douée d'une très grande amplitude de mouvement, mais sa force musculaire n'était pas toujours à la hauteur de celle-ci. Ici, en immobilisant ses pieds (p. 56-57), j'ai pu lui montrer qu'elle pourrait aller beaucoup plus loin quand elle aurait plus de force.

▲ **L'étreinte** Pour cet exercice (p. 59), Ereka devait s'efforcer de créer un antagonisme imaginaire. Afin de l'aider, je lui ai opposé moi-même cette résistance. Dès qu'elle l'aperçut en exécutant ses mouvements, elle fut capable de la reproduire elle-même.

▲ **Le va-et-vient vertical** Nous avons amélioré l'exécution de cet exercice (p. 58) en corrigeant l'angle des bras pour qu'elle les tende vers le plafond, évitant ainsi de contracter ses muscles thoraciques. Cela fit travailler davantage les triceps, rendant l'exercice plus ardu.

SEMAINES

HUIT, NEUF, DIX

Les exercices de cette ultime phase du programme sont plus ardus sur les plans physique et psychologique. Tandis que vous éduquez vos muscles à de nouveaux mouvements pour les remodeler, n'oubliez pas les règles établies dès les premiers exercices afin d'acquérir une forme adéquate.

APPUI AVANT SUR UNE JAMBE

Depuis les Poussées (*p. 46–47*) exécutées durant les 2ᵉ, 3ᵉ et 4ᵉ semaines, cet exercice est le premier de ceux faisant appel à un appui sur les mains. Ici, la force des muscles du haut du corps et la puissance de votre foyer énergétique sont déterminantes. Si votre corps tremble à l'effort, réjouissez-vous-en : cela veut dire que vos muscles travaillent à leur potentiel optimum.

1 Partant de la position de repos prise après les Poussées (*p. 46–47*), prenez appui sur les orteils. Placez les mains à l'aplomb des épaules et joignez les jambes. Votre corps doit ressembler à une planche.

appui sur les orteils

rentrez le ventre

2 Sans déporter votre poids, levez une jambe au-dessus du tapis et dirigez vos orteils vers l'arrière tout en l'étendant. Du talon de l'autre jambe, opérez deux "rebonds" successifs, ce qui étire les tendons d'Achille.

pied tendu vers l'arrière

épaules en arrière des poignets

double "rebond" du talon vers l'arrière

les épaules reviennent à l'aplomb des poignets

appui unilatéral sur les orteils

3 Relevez ce talon et ramenez-le à sa position de départ, ainsi que l'autre jambe sur le tapis. Changez de jambe (*voir insert*) votre talon étant en position haute, et répétez l'étirement. Exécutez 3 à 4 enchaînements en alternant les jambes. Achevez en vous rasseyant pour vous étirer (*voir insert, page précédente*). Respirez naturellement d'un bout à l'autre de l'exercice.

TRAVAIL PERSONNEL POUSSÉES SCAPULAIRES

Cet exercice développe le grand dentelé – parfois appelé "muscle du boxeur" – qui enveloppe la cage thoracique et contribue à l'équilibre de la ceinture scapulaire lorsque vous remuez les bras. Placée comme pour exécuter des "pompes", gardez les bras droits. Imaginez que, à la faveur d'un mouvement de serrage, vous rapprochez vos omoplates. C'est ce qu'on appelle la rétraction scapulaire. Ensuite, inversez le mouvement, ce qui creuse la poitrine et élargit votre dos de telle sorte que les omoplates s'éloignent le plus possible. Recommencez 5 à 10 fois et rasseyez-vous sur les talons, en position de repos (*voir insert, page précédente*). Réservez cet exercice à vos jours de congé, ou à la fin de votre séance.

APPUI ARRIÈRE SUR UNE JAMBE

Voyez cet exercice comme l'inverse du précédent (*p. 64–65*). Cependant, sollicitez davantage les muscles du haut du corps et vos fessiers. Pour certaines personnes, cette position est difficile à prendre, mais au lieu de voir en votre corps un ensemble disparate, considérez-le comme un tout et faites partir votre effort de votre foyer énergétique.

1 Asseyez-vous, dos droit, mains derrière vous en appui sur le tapis, doigts tournés vers vous. D'un seul mouvement, soulevez les hanches, mains, pieds et foyer énergétique soutenant votre poids.

regardez droit devant vous

dégagez la poitrine

doigts tournés vers les pieds

2 Ne déformez pas le rectangle/cadre de Pilates : épaules et hanches doivent être dans le même plan. Expirez et levez énergiquement une jambe vers le plafond sans modifier la position de votre tronc. Ce faisant, étirez-la au maximum. Vos orteils doivent être détendus. Votre corps doit rester immobile.

jambes tendues au maximum

les hanches restent en position haute

3 Inspirez quand votre pied atteint son plus haut niveau, puis tournez-en les orteils vers vous et expirez en ramenant votre jambe au sol. Ce faisant, imaginez une résistance jusqu'à ce qu'elle se trouve juste au-dessus du tapis. Recommencez à donner des coups de pieds 2 ou 3 fois avec la même jambe, puis changez de pied.

ne dilatez pas la cage thoracique

talon projeté en avant

4 Tandis qu'un pied s'abaisse, levez l'autre jambe pour répéter l'enchaînement avec elle. Achevez en ramenant les hanches en contact avec le tapis, et reposez-vous.

fesses levées

REMARQUES

- **Votre tronc doit rester immobile** – Aucune zone du corps ne doit faire écho au mouvement exécuté par une autre. Limitez ce dernier à celle qui doit travailler.
- **Votre foyer énergétique ne doit pas faiblir.** Ne laissez pas le derrière se rapprocher du tapis.
- **Commencez doucement.** Afin de ne pas surmener un côté du corps, vous pouvez alterner les coups de pieds.
- **Agitez vos poignets.** À l'issue de l'exercice pratiqué avec les deux jambes, agitez-les énergiquement afin de rétablir la circulation sanguine et résorber les tensions.
- **Veillez à ce que vos genoux** soient tournés vers le haut pour éviter que vos hanches roulent vers l'extérieur.

LE CERCLE MAGIQUE I

Passons aux exercices pratiqués avec le Cercle Magique. Lors d'une séance complète, entamez-la par les exercices au sol, poursuivez avec ceux présentés ici, et terminez par les mouvements des bras exécutés avec les haltères. Vous pouvez aussi les intercaler entre ceux faisant appel aux haltères et ceux-ci, ne vous livrant qu'aux uns ou aux autres.

ventre rentré

Ces exercices sont conçus autour du Cercle Magique, mais vous pouvez aussi vous servir d'un ballon de 40 cm de diamètre.

fessiers contracté

NIVEAU THORACIQUE

Portez le ballon ou le Cercle Magique à hauteur de la poitrine, bras tendus devant vous. Si vous utilisez le Cercle, vos mains doivent le presser au niveau des coussinets dont il est muni. Exercez une pression augmentant régulièrement tandis que vous comptez jusqu'à 3 et relâchez-la. Recommencez 5 fois.

jambes dans la position de Pilates

REMARQUES

- **Distance constante.** Vos mains doivent rester à la même distance de votre corps durant l'exercice.
- **Faites travailler l'arrière du corps.** Tout en serrant l'accessoire choisi, pressez vos jambes l'une contre l'autre, contractez les fessiers, et restez aussi droite que possible.
- **Ne bloquez pas vos articulations.** Les coudes restent dépliés, mais très légèrement fléchis.
- **Ménagez-vous.** Pressez davantage à mesure que vous comptez au lieu de travailler dès le début à votre niveau de tolérance maximum.

AU-DESSUS DE LA TÊTE

Passez immédiatement de la position précédente à celle-ci. Placez vos bras dans votre champ visuel, juste à l'aplomb de la lisière des cheveux. Sollicitez vos grands dorsaux pour abaisser vos épaules et garder le cou droit. Exercez une pression et maintenez-la en comptant jusqu'à 3 et relâchez-la. Recommencez 5 fois.

NIVEAU DES HANCHES

Placez le ballon ou le Cercle au niveau des hanches. De vos bras, formez un ovale en gardant les coudes fléchis. Contractez les faces postérieures de vos jambes et votre foyer énergétique chaque fois que vous comprimez l'accessoire choisi. Exercez à nouveau une pression ; maintenez-la le temps de compter jusqu'à 3, et relâchez-la. Recommencez 5 fois.

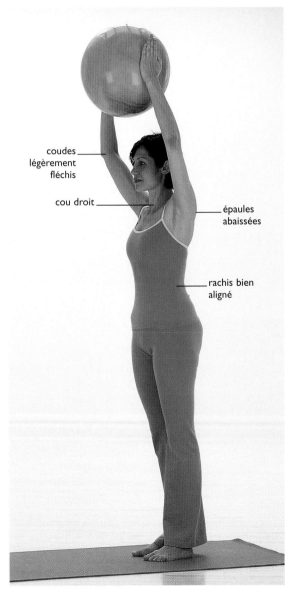

coudes
légèrement
fléchis

cou droit

épaules
abaissées

rachis bien
aligné

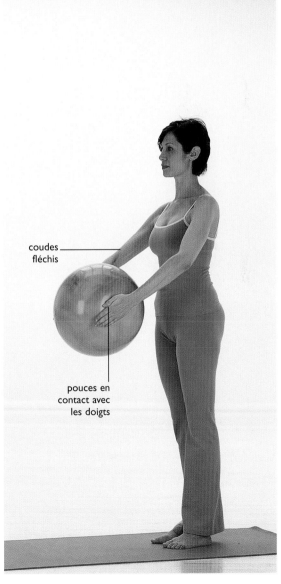

coudes
fléchis

pouces en
contact avec
les doigts

LE CERCLE MAGIQUE II

Afin d'aborder la dynamique corporelle telle qu'elle se présente dans la vie courante, beaucoup d'exercices Pilates, comme celui-ci, comportent d'amples mouvements rythmés. Chaque compression du Cercle Magique ou du ballon doit solliciter le foyer énergétique.

rachis bie aligné

jambes en position de Pilates

On peut remplacer le ballon de 40 cm par le Cercle Magique.

2 Au sommet de chaque arc de cercle, inversez le sens et exécutez à nouveau 8 mouvements de pompage pour ramener l'accessoire à son point de départ. Répétez 3 fois cet enchaînement. Respirez naturellement durant l'exercice.

POMPAGE

1 Debout, dos droit, tenez l'accessoire à hauteur des hanches. Si vous utilisez le Cercle, inclinez-le légèrement vers vous. Répartissez votre poids entre vos pieds et adoptez une station debout autorisant une posture parfaitement droite. Levez l'accessoire vers le plafond en effectuant 8 mouvements de pompage.

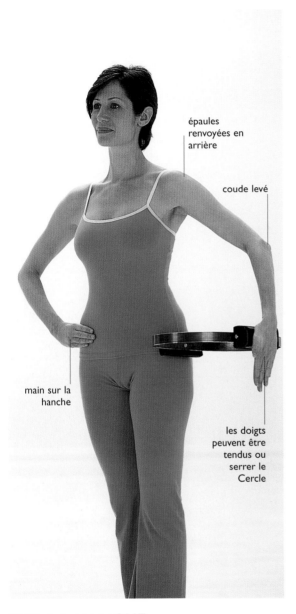

épaules
renvoyées en
arrière

coude levé

main sur la
hanche

les doigts
peuvent être
tendus ou
serrer le
Cercle

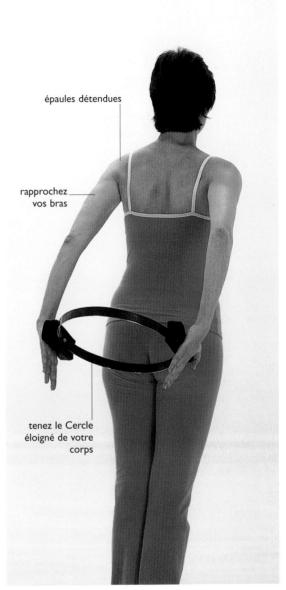

épaules détendues

rapprochez
vos bras

tenez le Cercle
éloigné de votre
corps

SUR LA HANCHE

Placez le ballon ou le Cercle sur l'os de votre hanche et pressez-le contre vous. Si vous utilisez ce dernier, maintenez-le parallèle au sol, et pressez la base de la paume sur le coussinet. Votre bras doit former une courbe allant de l'épaule à la main. Comprimez l'accessoire contre vous en comptant jusqu'à 3. Détendez-vous et recommencez 3 à 5 fois. Respirez naturellement.

DANS LE DOS

Tenez le Cercle ou le ballon derrière vous. Corrigez les erreurs posturales par un balayage mental de votre corps. Gardez la poitrine haute, et les épaules, basses et renvoyées en arrière. Si vous utilisez le Cercle, inclinez-le légèrement vers le bas. Comprimez-le en comptant jusqu'à 3. Détendez-vous et recommencez de 3 à 5 fois. Respirez naturellement.

PROGRÈS D'EREKA : BILAN FINAL

La dernière séance avec Ereka a été particulièrement satisfaisante. Nous avons passé en revue son programme – surtout celui destiné au haut du corps, et j'ai constaté qu'elle en avait mémorisé la totalité – et consacré un peu de temps à nous rappeler quels exercices lui étaient inaccessibles au début.

Les dernières photographies prises témoignent de son évolution dans mon atelier : ses bras ont été remodelés et tonifiés, le haut de son dos est solide et souple, de même que sa silhouette est beaucoup plus avantageuse. Au lieu de paraître chétive, comme avant, elle est maintenant sûre d'elle et en forme, quoique de petite taille.

Au début de notre travail, j'avais pris ses mensurations ; le moment était venu de les reprendre. Tous les muscles situés au-dessus de l'abdomen se sont bien développés, notamment les biceps et les deltoïdes, dû à l'accroissement en nombre des fibres musculaires. En comparaison, d'autres mensurations font apparaître une diminution de certaines zones corporelles. À notre plus grande satisfaction, les résultats sont à la hauteur de nos espérances.

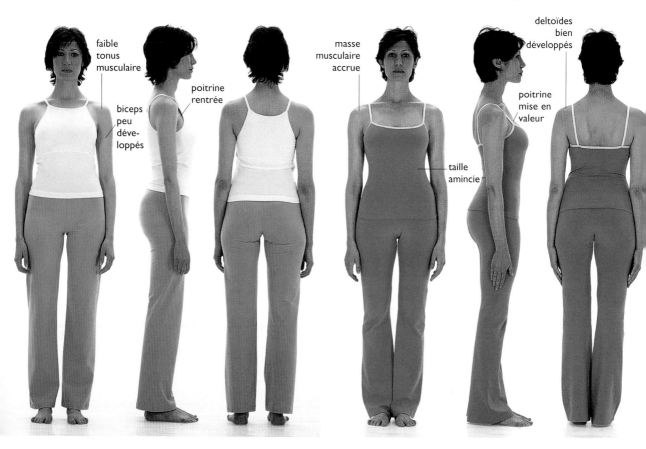

▲ **Avant** Les mensurations d'Ereka sont les suivantes : deltoïdes, 30 cm ; biceps, 22,5 cm ; tour de poitrine, 81 cm. Au début du programme, le haut de son corps montrait une nette absence de relief musculaire.

▲ **10ᵉ semaine** Le corps d'Ereka est maintenant remodelé : deltoïdes, 32 cm ; biceps, 24 cm ; tour de poitrine, 83,5 cm. Ses tours de taille et de hanches ont diminué de 2,5 cm. Sa silhouette évoque maintenant un sablier.

COMMENTAIRES

En guise d'ultime épreuve attestant les progrès réalisés, Ereka se livra à plusieurs exercices qui avaient été intégrés à différentes étapes du programme. Ainsi pouvait-elle maintenant exécuter avec aisance l'Appui arrière sur une jambe (*p. 66–67*). Les images ci-dessous illustrent mieux son évolution.

Avant

10ᵉ semaine

▲ **Poussées** Ereka entama le programme par l'exécution des Poussées en position agenouillée (*p. 46 et 47*). À la fin, elle pouvait abaisser tout son corps jusque très près du sol. Ici, je lui rappelle qu'elle doit garder la poitrine dégagée et les épaules en arrière.

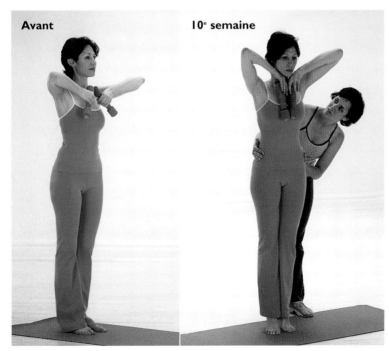

Avant   **10ᵉ semaine**

◀ **Les bras** Elle débuta le programme avec de petits haltères de 1 kg. À la fin, elle utilisait régulièrement ceux de 1,5 kg. Elle exécutait également tous les exercices destinés aux bras (*p. 48-51*), en levant simultanément les talons – mouvement qui rompt l'équilibre, raison pour laquelle je la soutenais. Pour améliorer votre équilibre, imaginez que vous collez vos talons ensemble.

PROGRAMME POUR LE BAS DU CORPS

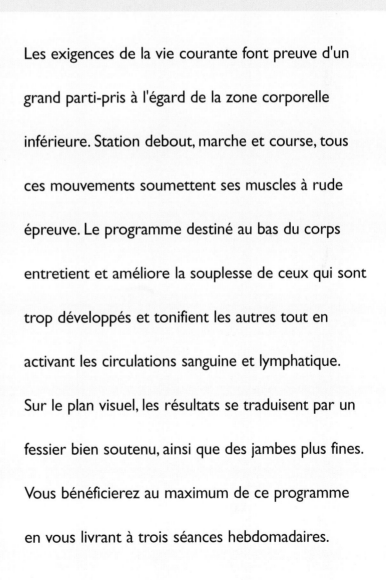

Les exigences de la vie courante font preuve d'un grand parti-pris à l'égard de la zone corporelle inférieure. Station debout, marche et course, tous ces mouvements soumettent ses muscles à rude épreuve. Le programme destiné au bas du corps entretient et améliore la souplesse de ceux qui sont trop développés et tonifient les autres tout en activant les circulations sanguine et lymphatique. Sur le plan visuel, les résultats se traduisent par un fessier bien soutenu, ainsi que des jambes plus fines. Vous bénéficierez au maximum de ce programme en vous livrant à trois séances hebdomadaires.

APERÇU DU PROGRAMME

Ce "film" présente successivement toutes les étapes de ce programme. Pour des raisons d'efficacité et de fluidité dans les enchaînements, les exercices se pratiquent dans l'ordre ci-dessous, qui n'est pas celui dans lequel vous les assimilerez. Passer d'un mouvement à l'autre sans à-coups augmente la cadence, la fréquence cardiaque, et garantit des résultats rapides. Débutez par le programme de base, puis intégrez des exercices figurant dans les 2ᵉ, 3ᵉ et 4ᵉ semaines, ensuite d'autres pris dans les 5ᵉ, 6ᵉ et 7ᵉ semaines, enfin ceux des 8ᵉ, 9ᵉ et 10ᵉ semaines.

Échauffement
(p. 20 et 21)

Déroulez vos vertèbres avec le Cercle Magique (p. 78 et 79)

Rotations d'une jambe
(p. 24 et 25)

Roulez comme une balle
(p. 26 et 27)

Étirement des jambes
(p. 90 et 91)

Étirement dorsal vers l'avant
(p. 32 et 33)

Coups de pied unilatéraux
(p. 92 et 93)

Pont en appui scapulaire
(p. 102 et 103)

Coups de pied sur un côté : pédaler
(p. 94 et 95)

Coups de pied sur un côté : ronds de jambe (p. 96 et 97)

Coups de pied sur un côté et rotations de la cuisse (p. 98 et 99)

DÉROULEMENT DU PROGRAMME

Pour que vous vous y reportiez, l'intégralité du programme destiné au bas du corps est présentée ci-dessous. Votre programme personnel commence en 2ᵉ semaine ; à partir de là, toutes les trois semaines, vous ajouterez un groupe – codé d'une couleur propre – d'exercices nouveaux.

La 1ᵉʳᵉ semaine, livrez-vous à tous ceux du programme de base, codés en jaune. Au cours des 2ᵉ, 3ᵉ et 4ᵉ semaines, intégrez ceux codés en bleu. Ensuite, passez à ceux des 5ᵉ, 6ᵉ et 7ᵉ semaines codés en rose et, enfin, exécutez ceux des 8ᵉ, 9ᵉ et 10ᵉ semaines codés en vert. Pratiquez ces exercices dans l'ordre indiqué ci-dessous en ajoutant, toutes les trois semaines, ceux d'un nouveau code chromatique.

Pour simplifier et résumer, partez du début et allez de gauche à droite de cette double page. Exécutez tous les exercices que vous avez assimilés et "sautez" ceux qui ne vous ont pas été enseignés. Votre objectif consiste à couvrir la totalité du programme dans un délai de 10 semaines. Tout en adaptant son contenu à vos besoins, souvenez-vous que votre corps doit fonctionner sur un mode holistique. Prenez l'habitude de passer en revue les zones qui ne travaillent pas, afin de les solliciter.

Étirement d'une jambe
(p. 28 et 29)

Étirement des jambes
(p. 30 et 31)

Étirement jambe tendue
(p. 80 et 81)

Coups de pied sur un côté : vers l'avant (p. 82)

Coups de pied sur un côté : haut/bas
(p. 83)

Coups de pied sur un côté : cercles
(p. 83)

Préparation à la gageure
(p. 84 et 85)

Le french cancan
(p. 104 et 105)

Le phoque
(p. 86 et 87)

Le Cercle Magique:
station debout
(p. 106 et 107)

SEMAINES

DEUX, TROIS, QUATRE

Afin de cibler efficacement la partie inférieure de votre corps, faites partir de la taille le mouvement initial de chaque exercice. Lors de l'exécution des exercices composant ce programme, prenez l'habitude d'entamer chaque mouvement par la contraction des muscles fessiers.

DÉROULEZ VOS VERTÈBRES AVEC LE CERCLE MAGIQUE

En fait, cet exercice, extrait du programme de base, a été réinventé et adapté à l'utilisation du Cercle Magique ou d'un ballon de 40 cm de diamètre. Il s'agit d'un excellent mouvement qui raffermit la face interne des cuisses, les fesses, et prépare votre foyer énergétique à la pratique des autres exercices au sol.

1 Durant les premières semaines du programme, peut-être préférerez-vous commencer en déroulant plusieurs fois vos vertèbres (*p. 22–23*) sans Cercle Magique ou ballon avant d'utiliser l'un d'eux pour exécuter cette variante. En position de départ, assise dos droit et genoux pliés, saisissez l'accessoire choisi et placez-le entre vos cuisses, juste au-dessus des genoux. Les pieds, relevés, sont écartés d'une largeur de bassin.

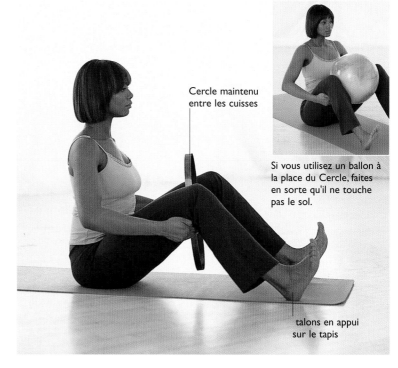

Cercle maintenu entre les cuisses

Si vous utilisez un ballon à la place du Cercle, faites en sorte qu'il ne touche pas le sol.

talons en appui sur le tapis

2 Inspirez en incurvant le bassin, tout en pressant le Cercle ou le ballon entre vos jambes, qui doivent être parallèles et bien alignées des hanches aux chevilles. Maintenez la pression sur l'accessoire tout en respirant naturellement et déroulez vos vertèbres pour rapprocher votre dos du sol. Ce faisant, vos hanches peuvent glisser légèrement vers l'avant.

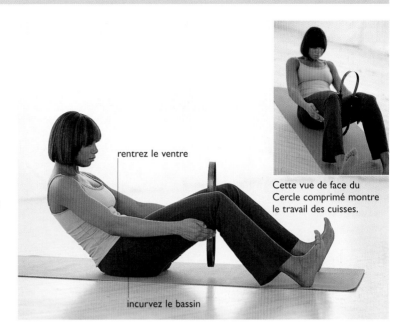

rentrez le ventre

incurvez le bassin

Cette vue de face du Cercle comprimé montre le travail des cuisses.

3 Continuez jusqu'à ce que vos lombes prennent appui sur le tapis et que vos bras soient presque tendus. Gardez cette position, respirez trois fois profondément en rentrant le ventre à chaque expiration. À la dernière expiration, commencez à vous replier à la hauteur de la taille et revenez à la position de départ. Recommencez 3 à 5 fois.

TRAVAIL PERSONNEL LE REMONTE-FESSIER

Cet exercice constitue l'un des petits secrets relatifs à l'utilisation du Cercle Magique. Parfait pour raffermir les fesses, il s'exécute soit avec cet accessoire, soit avec un ballon. Placez l'un d'eux entre vos chevilles et allongez-vous à plat ventre, le front posé sur les mains. Contractez les muscles fessiers en appuyant les os de vos hanches sur le tapis. Ensuite, tout en comprimant l'accessoire choisi, comptez jusqu'à 3, et relâchez la pression. Recommencez 5 à 8 fois. Afin de parfaire l'exercice, décollez les cuisses du sol à chaque compression.

ÉTIREMENT JAMBE TENDUE

Chacune de nos démonstratrices exécutent le 3e exercice de la série destinée aux abdominaux d'une manière totalement distincte des autres. Ces différentes variantes démontrent le caractère polyvalent propre à la méthode Pilates. Ici, nous sollicitons particulièrement le foyer énergétique et les muscles des cuisses.

REMARQUES

- **Préparation.** La jambe doit s'étendre autant que possible avant de s'élever pour être raamenée contre la poitrine.

- **Contractez les fessiers** quand une jambe s'abaisse. Cela fait, vous devez éprouver la sensation que la jambe en position basse "rebondit" contre votre derrière chaque fois que vous lancez l'autre.

- **Utilisez les battements du cœur.** Exécutez des ciseaux au rythme de vos battements cardiaques, en lançant chacune deux fois quand elles s'éloignent.

- **Adaptez, si nécessaire.** Si vous ne maîtrisez pas le foyer énergétique, vous levez les jambes plus haut, pour diminuer l'amplitude du mouvement. Ou aidez-vous des mains, comme le fait Casey dans l'Étirement jambe tendue (p. 116-117). Si vous vous servez de vos mains, maintenez légèrement votre jambe.

épaules en appui sur le tapis   lombes en contact avec le sol

1 Allongez-vous sur le tapis, genoux ramenés contre la poitrine. Maintenez la contraction des abdominaux en veillant à ce que le haut de votre corps reste levé. Relâchez vos jambes et étendez les bras vers l'avant, horizontalement, au-dessus du tapis. Ce faisant, sensibilisez-vous au fait de rentrer davantage le ventre.

levez les deux jambes dans l'axe du corps

contractez les fessiers en prenant la position de Pilates

2 Étendez une jambe vers le haut et l'autre parallèlement au tapis, mais sans modifier votre position. Continuez à rentrer le ventre. Tout en étendant la jambe gauche, lancez la droite en arrière en comptant jusqu'à 2. Pour montrer à Taï l'amplitude de mouvement dont elle était capable, je l'ai aidée à mettre cette jambe en position.

3 Avec les jambes, exécutez des ciseaux en lançant 2 fois chacune d'elles quand elle atteint son point le plus élevé. Dépliez bien les genoux pour qu'elle soit aussi tendue que possible. Exécutez ainsi 5-8 ciseaux. Inspirez sur un ciseau et expirez sur le suivant.

rentrez le ventre

exécutez 2 battements de jambe

contractez les fessiers

COUPS DE PIED SUR UN CÔTÉ

Ces coups de pied latéraux sont des exercices exécutés avec une jambe à la fois inventés par Joseph Pilates pour répondre aux besoins de ses clients professionnels de la danse. Chez tous les pratiquants du Pilates, ils musclent jambes et hanches en les remodelant harmonieusement. Exécutez ces trois exercices d'un côté, puis retournez-vous, et recommencez de l'autre côté.

EN AVANT

1 Allongez-vous sur le côté, près du bord arrière du tapis. Posez la tête sur votre main, et l'autre sur le tapis, à hauteur de la taille. La jambe au repos doit former un angle de 45° avec le tronc. Inspirez, puis levez légèrement l'autre jambe et lancez-la vers l'avant dans le style "double détente". Notez la manière – correcte – dont je positionne la jambe de Taï tout en lui rappelant de garder les épaules basses.

main sur le tapis pour l'équilibre

jambe tendue et parallèle au sol

haut du corps immobile

2 Expirez et, à la faveur d'un ample mouvement de balayage, amenez votre jambe en arrière du tronc. À la fin de celui-ci, concentrez-vous pour projeter légèrement vos hanches vers l'avant pour faire travailler les fessiers. Jambe en arrière, étendez-la bien vers le bas. Vous devez sentir un étirement dans la zone antérieure de la hanche. Recommencez 8 à 10 fois.

HAUT/BAS

Entamez ce mouvement de la même manière que le précédent (*voir insert*). Une jambe sur l'autre, inspirez pour la lancer en l'air dans la direction de votre oreille. Expirez en la rabaissant malgré une résistance imaginaire. Ce faisant, contractez les muscles de la face interne de la cuisse et rentrez le ventre. Recommencez de 8 à 10 fois. Le dernier mouvement exécuté, gardez la jambe en l'air et légèrement tournée afin de vous positionner pour les "cercles".

conservez un angle de 45° entre tronc et jambe au repos quand vous lancez l'autre jambe

CERCLES

Commencez en décrivant de petits cercles dans le sens des aiguilles d'une montre, jambe étendue, genou non verrouillé, en effleurant le talon inférieur avec celui du haut à chaque rotation. Respirez naturellement. Recommencez 5 à 10 fois, puis changez de sens, et recommencez 5 à 10 fois.

genou tourné vers le haut

talon en position basse

REMARQUES

- **Maîtrisez votre tronc.** Gardez épaules et hanches à la verticale, deux à deux. N'oscillez ni vers l'avant, ni vers l'arrière.
- **Faites travailler les jambes** avec fluidité, comme vaincre une résistance imaginaire.
- **Conservez une main** sur le tapis pour garder votre équilibre ; ensuite, placez-la derrière votre tête. Sans croiser les doigts, posez une main sur l'autre.
- **Rentrez** constamment le ventre.
- **Soyez énergique** lorsque vous lancez la jambe en l'air et ramenez-la lentement (exercice précédent).

PRÉPARATION À LA GAGEURE

La méthode Pilates fait travailler le corps d'une manière très efficace. Au lieu de muscler une seule zone corporelle à la fois, elle les développe toutes simultanément. Ici, nous utilisons une variante de la Gageure (*p. 120–121*) pour solliciter les muscles de la face interne des cuisses tout en dynamisant le foyer énergétique.

1 Allongez-vous sur le dos, genoux pliés, pieds à plat sur le tapis et jambes pressées l'une contre l'autre. Étendez les bras dans le prolongement de votre tête, vers l'avant – à environ 45° – en rentrant l'abdomen. Expirez en commençant à enrouler votre colonne vertébrale. Si vous avez du mal à le faire, relevez-vous seulement autant que possible.

les pieds restent à plat, immobiles

ne décollez pas les fesses ; ne contractez pas les hanches

TRAVAIL PERSONNEL GAGEURE AU MUR

Pour parfaire l'exercice tout en améliorant votre forme, essayez de l'exécuter les pieds en appui contre un mur. Procédez comme ci-dessus, jambes formant un angle de 45° avec le sol. Gardez en permanence les pieds en appui ferme contre le mur et veillez à contracter les fessiers et à dérouler votre colonne vertébrale lorsque vous vous redressez ou vous abaissez. Le but est d'exécuter ce mouvement sans l'aide du mur. Réservez cet exercice à vos jours de repos, ou à la fin de votre séance.

gardez jambes, genoux
et pieds joints

sseyez-
us, dos
, en fin
de
vement

2 En revenant à la position assise,
gardez les pieds immobiles, à plat
sur le tapis. Votre rachis doit rester
incurvé jusqu'à ce que vous soyez
complètement redressée; ensuite, pour
avoir le dos droit, dégagez la poitrine.
Expirez et inversez le mouvement :
déroulez vos vertèbres l'une après
l'autre. Revenez à la position de départ,
bras tendus dans le prolongement du
corps. Recommencez 3 fois.

gardez les genoux alignés à l'horizontale

GAGEURE UNILATÉRALE

Dès que vous maîtrisez la Préparation
à la gageure, essayez cette variante.
En partant de la position allongée
– phase 1 – étendez une jambe
comme indiqué, mais gardez les
genoux serrés l'un contre l'autre.
Tendez la jambe autant que possible
et continuez à presser les faces
internes de vos cuisses l'une contre
l'autre quand vous vous redressez et
vous rabaissez. Recommencez 3 fois
avec une jambe, changez de côté, et
faites de même.

LE PHOQUE

Cet exercice, dernier de ceux qui, exécutés au sol, comportent enroulements et déroulements des vertèbres, contribue à délier les muscles paravertébraux - situés le long du rachis - et développe la maîtrise des mouvements nécessitée par le travail sur un tapis.

Les mains saisissent chaque cheville par l'extérieur.

1 Assise sur le tapis, glissez les mains entre cuisses et mollets, comme indiqué, et saisissez chaque cheville par l'extérieur. Faites basculer légèrement votre bassin en arrière pour que vos pieds s'élèvent juste au-dessus du tapis. Tout en rentrant fortement le ventre, mettez-vous, l'espace d'un instant, en équilibre sur vos ischions. Préparez votre enroulement en pensant à incurver votre bassin. Ayez pour objectif de mettre le creux de vos reins en contact avec le tapis, mais sans entamer encore ce mouvement.

TRAVAIL PERSONNEL CHAISE CONTRE LE MUR

Traditionnellement, cet exercice porte le nom de Glissement contre un mur, ou Accroupissement contre un mur. Il développe force, tonus et endurance, notamment des quadriceps (muscles des cuisses). Adossez-vous à un mur lisse, pieds éloignés de celui-ci d'une distance supérieure à un pas. Placez-les parallèlement l'un à l'autre, et laissez pendre vos bras le long du corps. Tendez ces derniers devant vous, à l'horizontale, en faisant glisser votre dos le long du mur jusqu'à ce que vos genoux se plient à 90°. Restez immobile le temps de compter jusqu'à 3. Avant de remonter le long du mur et d'abaisser vos bras, rentrez l'abdomen. Toute votre colonne vertébrale doit être en contact avec le mur. Recommencez 3 fois. Chaque fois, essayez de compter lentement jusqu'à 5. Réservez cet exercice à vos jours de repos ou à la fin de votre séance.

2 Roulez en arrière jusqu'à la base des omoplates en maîtrisant ce mouvement. Gardez le menton contre la poitrine pour que votre tête ne touche pas le tapis. Ce faisant, soulevez les hanches pour que vos lombes décollent nettement du sol.

genoux écartés d'une largeur d'épaule au maximum

la tête reste décollée du tapis

3 Basculez pour revenir à la position de départ (phase 1). Poursuivez ce mouvement de bascule d'avant en arrière et inversement en sollicitant vos abdominaux pour le maîtriser. Évitez d'utiliser l'élan acquis. Recommencez 10 fois. Respirez naturellement en inspirant au retour au sol et en expirant à l'aller.

PROGRÈS DE TAI : BILAN PARTIEL

POINT DE VUE DE TAI

"Je n'étais pas sûre de savoir quoi attendre de mon expérience avec le Pilates. Je supposais que c'était un proche parent du yoga, et j'imaginais qu'il me faudrait puiser dans ma dimension spirituelle et pratiquer des étirements pour être en bonne santé. Dès ma première séance avec Alycea, je fus soulagée de découvrir que cette méthode n'avait rien à voir avec la méditation et qu'elle s'assimilait davantage à une forme atténuée de musculation.

Au bout de 4 semaines, j'ai constaté une amélioration quant à ma posture et à ma souplesse. Je suis encore plus fière de dire que mes cuisses ont gagné en tonus. Bien que mon derrière ne soit pas encore bien modelé, je peux déclarer qu'il est singulièrement remonté. Enfin, et ce n'est pas rien, mes abdominaux sont beaucoup mieux dessinés. Demandez-m'en douze, je les fais tout de suite."

APPRÉCIATIONS D'ALYCEA

Travaillez avec Tai fut une tâche aisée. Elle apprenait vite, acceptait fort bien les correctifs, de même qu'elle était très concentrée. Mieux encore, elle exécutait réellement le travail personnel. Dès la fin de notre quatrième semaine, ses quadriceps — muscles des cuisses situés juste au-dessus des genoux - avaient pris du relief, si bien que son enthousiasme grandissait. J'avais l'impression qu'elle savait où Pilates la conduisait et qu'elle avait hâte d'y arriver.

Notre seul problème était le fait que Tai travaillait si dur que, souvent, elle présumait de ses forces au point de s'effondrer durant chaque exercice. Il faut savoir que le Pilates authentique doit être pratiqué à la faveur de mouvements fluides ne comportant pas de pauses entre les exercices. Or, étant donné le travail excessif qu'elle fournissait, elle devait se reposer assez souvent car, fréquemment, elle ne pouvait exécuter qu'un seul exercice à la fois. Ces pauses imprévues limitaient ses progrès. Nous nous sommes concentrées, et j'ai consacré du temps, certes à la faire beaucoup travailler et de manière fluide, mais aussi à laisser les exercices produirent leur effet. Exécuter des mouvements empreints de raideur ne contribue pas à l'acquisition d'une "ligne" harmonieuse et ne fait qu'augmenter la tension musculaire tout en limitant les gains quant à la souplesse. Elle apprit à se mouvoir de manière plus "coulée" et à doser sa dépense d'énergie.

PROGRESSEZ

Si vous pouvez répondre "oui" aux questions ci-dessous, passez aux 10 exercices suivants :

Restez-vous en forme quand vous utilisez les accessoires Pilates ? Assurez-vous que lorsque vous employez le Cercle Magique ou le ballon, vous exécutez encore les exercices sans fatigue excessive

Vous examinez-vous ? Si c'est non, faites-le mentalement de la tête aux orteils lors de chaque exercice pour harmoniser et améliorer votre forme. Ceci est la composante majeure du remodelage de votre corps..

Pratiquez-vous régulièrement les coups de pied sur un côté (p. 82–83) ? Même si vous n'avez pas le temps pour une séance complète, il n'y a aucune raison pour que vous ne les pratiquiez pas au moins trois fois par semaine.

Etes-vous confiante dans votre aptitude à travailler en imaginant une résistance ? Si oui, vous créez dans votre corps une tension qui tonifie très vite vos muscles. Imaginez que vos membres exercent constamment des poussées et des tractions durant chaque exercice.

COMMENTAIRES

Au cours de cette période d'apprentissage intense, Tai a réalisé de spectaculaires progrès dans la compréhension des concepts de Pilates. Nous avons adapté le programme de base pour intégrer des modifications concernant le bas du corps. Elle a commencé par l'Échauffement (*p. 20–21*), jambes en position basse pour en solliciter les muscles des faces postérieures. Nous avons aussi revu l'Étirement jambe tendue (*p. 80–81*), ses jambes effleurant presque le sol pour faire travailler les muscles fessiers. Si vous intégrez ces modifications à votre pratique personnelle, faites-le progressivement. Les exercices que nous pouvions ajouter figurent ci-dessous.

◀ **Échauffement avec le Cercle Magique** Tai sollicita la musculature interne de ses cuisses en travaillant avec le Cercle placé entre ses chevilles, orteils légèrement tournés vers l'extérieur. Elle le fit genoux fléchis pour muscler le haut des cuisses. Vous pouvez remplacer le Cercle par un ballon de 40 cm. J'ai dû lui rappeler de continuer à faire travailler son foyer énergétique en permanence, dans cette position.

▲ **Déroulez vos vertèbres avec un ballon** Durant cet exercice (*p. 78-79*), Tai avait du mal à rentrer l'abdomen tout en se redressant. Nous avons utilisé un ballon de 25 cm de diamètre placé entre ses genoux pour l'aider avant de passer au Cercle Magique : chasser l'air du ballon l'aida à expulser l'air retenu dans son ventre. Ici, je lui montre la position correcte.

▲ **Coups de pied sur un côté avec bracelets de cheville** dès qu'elle eut maîtrisé ces mouvements (*p. 82-83*), Tai les exécuta avec des bracelets de cheville de 1 kg. Cette variante fait merveille sur les faces supéro-externes des cuisses et dynamise remarquablement le foyer énergétique.

SEMAINES

CINQ, SIX, SEPT

Les quatre premières semaines vous ont préparée aux exercices qui suivent. Les quelques semaines

qui viennent solliciteront encore davantage vos abdominaux tout comme elles seront marquées par

de nouveaux exercices, plus complexes, qui complètent les coups de pieds latéraux.

ÉTIREMENT DES JAMBES TENDUES

Cet exercice est le quatrième de ceux destinés aux abdominaux. Cette variante classique

porte exclusivement sur l'axe du corps. Toutefois, en raison des objectifs de ce programme,

nous solliciterons surtout les fessiers et les muscles de l'intérieur des cuisses.

1 Après avoir exécuté l'exercice
précédent, reposez-vous un
peu ; ce faisant, replacez les mains
derrière votre tête, l'une sur
l'autre. Si possible, faites-le sans
marquer de pause et tendez les
jambes vers le plafond.

jambes en
position
de Pilates

les abdominaux travaillent pour
soulever le haut du corps

TRAVAIL PERSONNEL
ÉTIREMENT DES JAMBES TENDUES AVEC BALLON

Cet exercice peut être exécuté avec le Cercle Magique ou un ballon de
40 cm pour tonifier la musculature de l'intérieur des cuisses et dynamiser
le foyer énergétique. Placez simplement l'accessoire choisi entre vos
chevilles et exécutez les mouvements indiqués précédemment. Maintenez
une pression constante sur lui et veillez à faire légèrement pivoter vos
jambes pour qu'elles adoptent la position de Pilates, orteils tournés vers
l'extérieur, et sans être en contact avec le Cercle ou le ballon. Réservez
cet exercice à vos jours de congé, ou à la fin de votre séance.

2 Inspirez et rabaissez vos jambes en comptant
jusqu'à 3. Expirez en les relançant énergiquement
vers le haut, sans modifier la position du haut de
votre corps. Répétez cet enchaînement 5 à 8 fois de
suite. Rentrez davantage le ventre et pressez plus
fortement l'une contre l'autre les faces postérieures
de vos jambes chaque fois qu'elles remontent.

étendez les jambes en
les rabaissant

ne croisez pas les doigts

les fessiers pressent les faces postérieures des
jambes l'une contre l'autre

COUP DE PIED UNILATÉRAL

Cet enchaînement nous donne l'occasion de nous retourner à plat ventre, visage contre le sol. Bien que cet exercice fasse également partie du programme destiné au haut du corps, il constitue une variante qui se concentre sur la tonification des muscles postérieurs des jambes. En prime, il étire également ceux de la zone antérieure de la hanche et de la cuisse.

contractez les fessiers et pressez vos jambes l'une contre l'autre

Soulevez votre buste en prenant appui des avant-bras sur le sol.

1 Prenez appui sur les avant-bras, coudes à l'aplomb des épaules. Gardez les bras parallèles et fermez les poings, mais sans crispation. Ce faisant, rentrez bien le ventre de façon à ce qu'il ne touche pas le tapis.

2 Pliez un genou, donnez-vous un énergique coup de pied au derrière. Pour bien vous muscler, exécutez ce mouvement en deux temps et, simultanément, placez constamment votre bassin en appui sur le sol. Ne laissez pas votre abdomen se ramollir ou toucher le sol. Respirez naturellement.

étirez votre nuque

bassin en appui sur le tapis

COUP DE PIED UNILATÉRAL   93

3 Changez de jambe et recommencez. En donnant le coup de pied, faites appel à la résistance — à l'instant où votre talon approche de vos fesses, imaginez-vous prenant appui sur le tapis par l'intermédiaire des hanches. Reprenez 5 fois.

gardez les genoux joints

4 Étendez les jambes et placez vos mains sur le sol, devant vous. Reculez en vous agenouillant, et asseyez-vous sur les talons et étirez vos lombes. Respirez naturellement. Enfin, enroulez vos vertèbres.

TRAVAIL PERSONNEL
ÉTIREMENT DES CUISSES

Agenouillez-vous, bras étendus devant vous et jambes écartées d'une largeur de bassin. Les extrémités de vos pieds reposent sur le tapis. Contractez les fessiers et rentrez bien le ventre. En inclinant le corps vers l'arrière, dos droit, regardez devant vous en étirant les muscles antérieurs de vos cuisses. Revenez à la position de départ en poussant vos hanches vers l'avant.

COUPS DE PIED SUR UN CÔTÉ : PÉDALER

Après avoir exécuté les mouvements de base relatifs aux coups de pied sur un côté (*p. 82–83*), nous nous préparons aux exercices les plus complexes. Celui-ci nécessite une remarquable maîtrise du tronc et améliore la coordination psychomotrice tout en étirant et en tonifiant les jambes. N'accordez votre attention qu'à un paramètre de l'exercice à la fois : mécanique, détails et fluidité.

1 Après l'enchaînement Coups de pied sur un côté – Cercle (*p. 83*), placez une main sur le tapis, derrière votre tête, et rentrez fortement le ventre. Vos jambes doivent former un angle de 45° avec votre tronc. Celle du dessus se décolle de l'autre. Lancez-la vers l'avant, sans basculer en arrière ou rompre votre alignement. Votre genou doit être complètement déplié.

jambe parallèle au sol

le coude doit être dirigé vers le plafond

2 En faisant partir ce mouvement de la hanche, pliez la jambe du dessus pour la diriger avec force vers votre épaule. Ventre toujours rentré, veillez à ce que le haut de votre corps ne bascule pas en arrière. Vérifiez la position du coude levé ; il doit être constamment dirigé vers le plafond – et non vers l'extérieur, comme ici.

genou et pied forment une ligne parallèle au sol

3 Ramenez ce genou sur celui du dessous. Pliée, votre jambe doit continuer à former un angle aigu, son talon étant dirigé vers les fesses. Ne déportez pas votre poids ; votre foyer énergétique doit contrôler les mouvements du haut de votre corps. Ici, afin d'aider Taï à étirer les muscles de sa cuisse, j'aligne ses hanches dans le plan vertical pour qu'elle plie son genou.

épaules et hanches restent dans un
plan vertical

4 Contractez les fessiers et tirez votre genou le plus loin possible en arrière. Étendez la jambe. Ensuite, projetez-la en avant. Recommencez 3 à 5 fois et changez de sens. Respirez naturellement. Restez sur le côté pour passer à l'exercice Coups de pied sur le côté : ronds de jambe (*p. 96–97*).

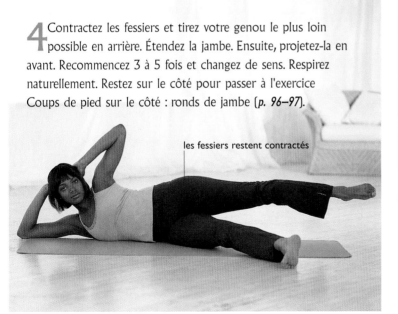

les fessiers restent contractés

REMARQUES

- **Gardez épaules** et hanches dans un plan vertical – ne rompez pas cet alignement.

- **Mains l'une sur l'autre, doigts non croisés.** Placez vos mains derrière la tête, l'une sur l'autre.

- **Le tronc, point d'équilibre.** Ne surmenez pas la jambe du dessous.

- **Une clef : l'antagonisme** – tandis que votre jambe s'étend vers l'arrière, votre bassin se projette en avant pour créer une résistance.

- **Continuez à pédaler.** Les mouvements s'enchaînent sans à-coups.

- **Restez droite.** Veillez à ce que le haut de votre corps ne se creuse ou ne se tasse pas.

COUPS DE PIED SUR UN CÔTÉ : RONDS DE JAMBE

Après l'exercice Coups de pied sur un côté: pédaler (*p. 94–95*), passez immédiatement aux Ronds de jambe. Ici, nous introduisons dans cette série de mouvements une rotation de la jambe ou, comme disent les professionnels de la danse, un "chassé". Faire travailler les jambes de cette manière remodèle les muscles, mais les moteurs de cette rotation doivent être les muscles de la hanche, et non les genoux ou les pieds.

la jambe se projette en s'articulant autour de la hanche

1 Faites pivoter la jambe du dessus en inclinant le talon vers le bas, en direction du sol, orteils dirigés vers le haut. Portez la jambe en avant jusqu'à ce qu'elle soit perpendiculaire au tronc et parallèle au tapis. Projetez-la aussi haut et loin que possible vers l'avant.

TRAVAIL PERSONNEL ÉTIREMENT CROISÉ

L'intégration de maints exercices nouveaux destinés au bas du corps peut parfois entraîner la crispation de certains groupes musculaires. Si les Coups de pied sur un côté engendrent des crispations douloureuses dans les fessiers, pratiquez l'étirement suivant : allongée sur le dos, passez un genou plié au-dessus de la jambe au repos. Faites pivoter vos hanches en direction du tapis et étirez celle du dessus en maintenant légèrement l'extérieur du genou. Étendez le bras opposé perpendiculairement à votre corps, et tournez tête et épaules dans la même direction. Par son poids, le haut de votre corps offre une résistance à sa partie inférieure, contribuant ainsi à intensifier la rotation et l'étirement. Au début, restez 30 secondes dans cette position, pour passer ensuite à 2 minutes. Respirez naturellement. Recommencez de l'autre côté.

2 Tendez la jambe vers le plafond en augmentant l'amplitude de la rotation pour que la plante du pied soit tournée vers le haut. Genou totalement déplié, tirez la jambe vers le coude levé. Continuez à pousser la hanche du dessus vers l'avant - ne la laissez pas partir en arrière.

gardez les épaules détendues

la jambe se dirige vers le coude

veillez à rentrer le ventre

la jambe se tendant vers l'arrière, les hanches se projettent en avant

le haut du corps ne doit pas s'incliner en avant

3 Ramenez votre jambe vers le bas. Continuez à la faire pivoter autour de la hanche et contractez les fessiers afin de continuer à projeter le bassin vers l'avant. Lancez votre jambe vers l'avant pour revenir à la phase 1. Recommencez 3 fois, et changez de sens. Respirez naturellement. Restez allongée sur le côté et passez aux Coups de pied sur le côté et rotations de la cuisse (*p. 98–99*).

ÉLÉVATIONS/BATTEMENTS DE LA CUISSE

Durant cette période de trois semaines, et pour conclure le travail des jambes, nous ajoutons deux exercices, les Élévations et Battements de la cuisse. D'ordinaire, ils rappellent aux élèves les fameuses séances de Jane Fonda, si ce n'est que, dans le Pilates, il faut veiller à ne pas oublier le reste du corps - chaque muscle a son rôle à jouer.

ÉLÉVATIONS

1 Après les Ronds de jambe (*p. 96–97*), allongée sur le côté, passez la jambe gauche au-dessus de la droite en tenant la cheville correspondante. Posez le pied gauche à plat sur le tapis devant la cuisse droite. Rentrez le ventre et gardez la poitrine dégagée.

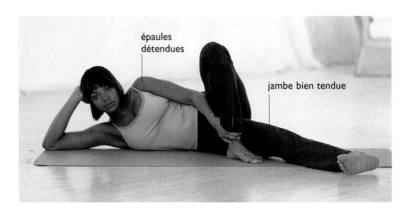

épaules détendues

jambe bien tendue

rotation de la jambe

2 Contractez le muscle intérieur de votre cuisse droite et levez la jambe correspondante aussi haut que possible. Faites pivoter votre jambe droite en tournant les orteils vers le sol, talon dirigé vers le plafond. Le pied reste constamment tourné vers la tête.

3 Placez votre jambe droite pour qu'elle ne frotte pas contre la gauche, se déplaçant ainsi librement. Levez et abaisssez la jambe droite à la faveur de mouvements nettement saccadés. Gardez-la aussi tendue que possible et accentuez chaque élévation sur 8 à 10 répétitions. Respirez naturellement.

la jambe s'abaisse vers le sol à chaque répétition

BATTEMENTS

1 Pilates inventa des exercices spécifiques pour faciliter le passage de l'un à l'autre. Dans la série des Coups de pied sur un côté, pour passer d'une jambe à l'autre, mettez-vous sur le ventre et posez la tête sur vos mains. Serrez les jambes l'une contre l'autre des talons aux fesses.

REMARQUES

- **Regardez devant vous,** poitrine haute et dégagée pendant toute la phase Élévations.
- **Compliquez l'exercice.** Lors des Élévations, procédez en trois étapes, levant ainsi la jambe plus haut à chaque fois.
- **Vérifiez l'angle** de la jambe. Quand, lors des Élévations, vous l'abaissez et la levez, elle a naturellement tendance à partir vers l'avant. Maintenez-la en arrière et veillez à ce qu'elle soit tournée vers le haut.
- **Ancrez-vous dans le sol.** En exécutant les Élévations, imaginez que la partie supérieure de votre bras et sa face inférieure fusionnent avec le tapis.

gardez les épaules en appui et le cou étiré

2 Contractez les fessiers et levez les jambes. Écartez et rapprochez les jambes énergiquement, en les frappant l'une contre l'autre. Inspirez sur 5 battements, et expirez de même. Recommencez sur 3 respirations, c'est-à-dire 30 battements. Rabaissez vos jambes et détendez-vous. Tournez-vous de l'autre côté pour exécuter, avec l'autre jambe, la totalité des Coups de pied sur un côté (p. 82–83, 94–99).

Rotation des jambes en position de Pilates.

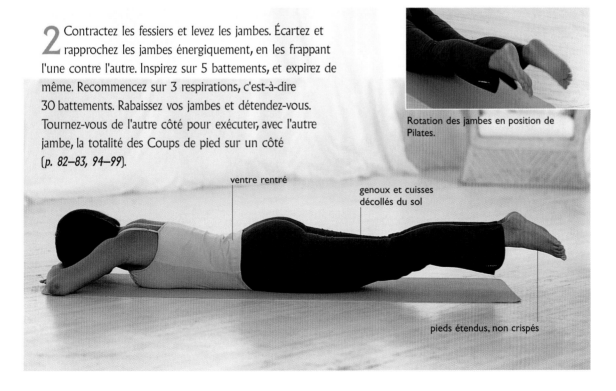

ventre rentré

genoux et cuisses décollés du sol

pieds étendus, non crispés

PROGRÈS DE TAI : BILAN PARTIEL

POINT DE VUE DE TAÏ

"J'aime de plus en plus le Pilates. En fait, cela demande plus d'efforts que je ne l'imaginais. Mes cuisses gagnent en tonus et je vois la différence dans leur modelé. Maintenant, les muscles situés juste au-dessus de mes genoux sont nettement visibles et je peux porter des jupes plus courtes pour montrer les résultats de mon travail assidu. L'autre jour, j'ai essayé une mini-jupe et je me suis aperçue que les faces internes de mes cuisses ne se touchaient plus. Mon postérieur ne ballotte plus autant lorsque je cours, et je suis convaincue d'être sur le point d'acquérir un fessier aux rondeurs harmonieuses. Mais ce n'est pas tout ; j'ai davantage confiance en moi et c'est avec joie que j'envisage la saison estivale. À la question : "Le programme est-il sévère ?", je réponds : "Oui, assez". Et quand on me demande s'il en vaut la peine, je réponds par l'affirmative".

APPRÉCIATIONS D'ALYCEA

Pour Tai, les Coups de pied sur le côté (*p. 82–83, 94–99*) étaient un défi assez difficile à relever en raison de ses jambes inhabituellement longues. Souvent, elle devait plier les genoux pour les exécuter. Nous nous sommes efforcés d'immobiliser son tronc et de limiter les mouvements latéraux de son corps. Sachant qu'elle a une mémoire visuelle, je lui ai fait imaginer que ses jambes étaient reliées au plafond par des cordes. Dès qu'elle les "voyait" flotter en l'air, sa forme s'améliorait considérablement. Finalement, elle est parvenue à donner des Coups de pied membre inférieur tendu. À l'issue de notre 20ᵉ séance, la zone située juste au-dessus de ses genoux présentait une musculature plus saillante et ses cuisses avaient commencé à s'amincirent.

À ce stade, le plus gros obstacle que nous avons dû surmonter est le caractère curieux de Tai. Certes, elle avait appris à travailler sans effort excessif, mais je devais souvent lui confirmer qu'elle exécutait les mouvements correctement, ce qui nuisait beaucoup à la fluidité. Dès que nous avons commencé à réserver les questions à des moments précis, Tai a pu exécuter les exercices aux limites supérieures de sa tolérance en les enchaînant avec fluidité. Il est essentiel d'enchaîner les exercices sans s'accorder de pause, car la continuité dans leur exécution fatigue les muscles, développant ainsi leur force, phénomène exploité pour épuiser ceux qui ne doivent pas travailler afin que d'autres, moins volumineux, fournissent également un effort.

PROGRESSEZ

Si vous pouvez répondre "oui" aux questions ci-dessous, passez aux 10 exercices suivants :

Pouvez-vous exécuter les Coups de pied sur un côté (pp. 82-83, 94-99) sans vous reposer ? Vous devez être capable d'exécuter au moins le nombre minimum de répétitions pour chaque variante sans pause.

Étendez-vous les jambes quand vous travaillez les abdominaux ? Chaque fois que vous en repliez vers vous, l'autre s'étend davantage.

Savez-vous doser l'effort fourni par vos jambes ? C'est primordial pour solliciter les groupes musculaires adéquats. Ainsi, pour faire travailler le haut des jambes, vous devez contracter ceux des cuisses. Si les genoux sont fléchis, d'autres exercices ciblent les faces supéro-internes des cuisses. Pouvez-vous doser cet effort ?

Faites-vous un effort pour enrouler/dérouler vos vertèbres ? Pour Rouler comme une balle (pp. 26-27) et Le phoque (pp. 86-87), vous ne devez pas prendre d'élan.

COMMENTAIRES

À ce stade du programme, Taï voyait ses capacités augmenter, et de nettes différences apparaître dans son corps. Après qu'elle eut acquis la maîtrise des Coups de pied sur un côté (*p. 82–83, 94–99*), je lui en ai fait exécuter une variante plus complexe consistant à garder les deux mains derrière la tête. Elle avait amélioré sa Préparation à la gageure (*p. 84*) à tel point que nous nous sommes surtout concentrées sur la Gageure unilatérale (*p. 85*). J'ai intégré l'Étirement hanche/fessier (voir ci-dessous) à notre pratique pour combattre les tensions musculaires douloureuses parfois apparues à la faveur de ses efforts. Les corrections suivantes lui ont permis d'acquérir une meilleure forme et des positions parfaites.

◀ **Étirement des jambes tendues**

Dans cet exercice (*p. 90-91*), Taï modifia la position de ses mains par rapport à ses jambes pour faire travailler ces dernières plus efficacement. En étendant les bras vers l'avant, elle ancrait davantage son tronc dans la tapis et rentrait plus fortement le ventre – ce dernier mouvement nécessitant de relever tête et épaules. Ici, j'ai aidé Taï à placer le haut de son corps pour qu'il forme l'angle approprié avec le sol.

▲ **Pédaler** Dans cet exercice (*p. 94-95*), j'ai aidé Taï à placer sa jambe pour exécuter ce mouvement. D'une main, elle la tient devant elle, puis la plie en direction de son épaule, et finalement maintient son pied en arrière pour étirer les muscles antérieurs de sa cuisse.

▲ **Étirement hanche/fessier** Pour calmer la douleur tout en entretenant la souplesse des hanches et des fessiers, allongez-vous sur le dos et pliez les genoux. Croisez une cheville sur la cuisse opposée puis, des deux mains, tirez l'autre jambe vers vous durant 1 minute ; changez de côté.

SEMAINES

HUIT, NEUF, DIX

Cette phase est la dernière de notre programme en dix semaines pour le bas du corps. Outre le fait d'intégrer ces derniers exercices, veillez à exécuter le nombre maximum de répétitions conseillées pour chacun d'eux.

PONT EN APPUI SCAPULAIRE

Ce premier exercice sollicite surtout les jarrets. Les mouvements tels que le Pont en appui scapulaire jouent un rôle essentiel dans le développement des muscles des jarrets et des fesses. Tout en améliorant votre alignement, cet exercice tonifie aussi les muscles thoraciques.

1 Allongez-vous sur le dos, jambes pliées et pieds à plat sur le tapis. Écartez les jambes d'une largeur de bassin ; elles doivent être parallèles et former une ligne droite des hanches aux orteils. Taï avait du mal à garder les pieds à l'aplomb des genoux. Contractez les fessiers et décollez votre bassin jusqu'à ce que vous fassiez le pont.

tronc et cuisses doivent être alignés

pieds à l'aplomb des genoux

bassin décollé du sol

pieds à plat sur le tapis

2 Levez une jambe à 45°, parallèlement à l'autre. N'abaissez pas votre bassin. Répartissez également votre poids de chaque côté de l'axe du corps, sans le déporter sur la jambe en contact avec le sol. Pied droit à plat sur le tapis, faites porter votre poids sur la voûte plantaire.

3 Dirigez la jambe tendue vers le haut, à la verticale, comme si le plafond exerçait sur elle une forte traction. Ensuite, inspirez et pliez-la pour donner un coup de pied dans la même direction sans déporter votre poids ou modifier votre position. Ce faisant, votre pied doit rester détendu.

contractez les abdominaux

bras en appui sur le tapis

4 Expirez et relevez le pied tout en ramenant votre jambe au niveau de l'autre genou. Donnez 3 coups de pied successifs, ramenez celui-ci à sa position de départ et changez de jambe pour recommencer (*voir insert*). Enfin, reposez le pied au sol et déroulez vos vertèbres.

bassin décollé du sol

LE FRENCH CANCAN

En exécutant les mouvements latéraux de cette danse, vous devez sentir les muscles de votre hanche et de votre cuisse s'étirer et se tonifier. Durant l'exercice, restez assise, dos aussi droit que possible, et sans déformer le rectangle de Pilates. Afin de maintenir un rythme régulier, à chaque mouvement, fredonnez mentalement "à droite, à gauche, coup de pied".

jambes fortement serrées

mains à plat

1 Placez-vous en appui sur les coudes, genoux joints ramenés vers la poitrine et extrémités des orteils touchant le tapis. Gardez la poitrine dégagée et le ventre fortement rentré tandis que vous inclinez les genoux vers la droite.

2 Bassin et épaules dans le même plan, inclinez maintenant les genoux du côté gauche. Ce faisant, vos jambes s'éloigneront naturellement de vous en glissant, aussi continuez à ramenez les genoux vers la tête.

rectangle de Pilates non déformé

poids également réparti sur les deux bras

3 Achevez ce mouvement de french cancan en inclinant à nouveau les jambes vers la droite. Tout en vous préparant à donner un coup de pied, anticipez mentalement le mouvement suivant.

TRAVAIL PERSONNEL ÉTIREMENT DE HANCHE

Étirer les zones antérieures des hanches en remodèle la musculature. Le haut des cuisses est souvent surmené, aussi relâchez les muscles correspondants est nécessaire pour établir de nouveaux schémas psychomoteurs. Projetez une jambe en avant et un genou en arrière. Portez tout votre poids sur elle, en laissant votre bassin s'abaisser vers le tapis jusqu'à ce que vous sentiez l'étirement dans vos hanche et cuisse postérieures. Restez dans cette position 30 à 45 secondes, en rentrant l'abdomen. Recommencez de l'autre côté. Pratiquez cet étirement de préférence durant vos congés, ou à la fin de votre séance.

4 Projetez énergiquement les jambes vers le haut et votre épaule. Pliez-les pour les ramener à leur position de départ (phase 1), et reprenez cet enchaînement de l'autre côté. Recommencez 3 fois en changeant de côté. Respirez naturellement en permanence.

jambes dirigées vers la tête

gardez la poitrine dégagée — ne la creusez pas

LE CERCLE MAGIQUE : DEBOUT

Bien qu'on puisse se servir du Cercle Magique pour intensifier n'importe quel exercice Pilates au sol, beaucoup de ces derniers ont été mis au point spécialement pour lui. Celui-ci emprunte à la danse classique les positions – destinées à faire travailler les muscles du postérieur et des cuisses – qui le caractérisent. Au début, aidez-vous d'une chaise pour garder l'équilibre.

Vous pouvez aussi exécuter cet exercice avec un ballon de 40 cm de diamètre.

1 Placez-vous debout, dos droit, un pied devant l'autre et orteils légèrement tournés vers l'extérieur. Mettez le Cercle ou le ballon entre vos chevilles et comprimez-le. Posez les mains sur vos hanches, ou l'une d'elles sur une chaise pour garder l'équilibre.

gardez hanches et épaules tournées vers l'avant

TRAVAIL PERSONNEL
DANDINEZ-VOUS

Placez le Cercle entre vos chevilles et posez les mains sur vos hanches. Sans déformer le rectangle de Pilates, portez votre poids sur un pied tout en levant les orteils de l'autre. Restez ainsi en comptant jusqu'à 3. Recommencez sur l'autre côté. Répétez 3 fois cet enchaînement. Changez rapidement de côté et rétablissez votre équilibre avant de poursuivre cet exercice. Réservez-le à la fin de votre séance.

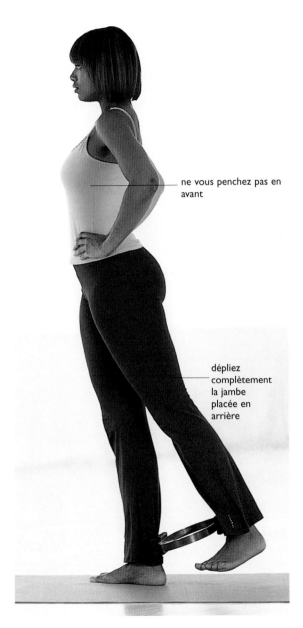

ne vous penchez pas en avant

dépliez complètement la jambe placée en arrière

Cercle parallèle au sol

pied relevé

2 Portez votre poids sur le pied antérieur sans relâcher la pression exercée sur le Cercle ou le ballon. Relevez le pied postérieur quand il quitte le sol. Une fois en équilibre, restez dans cette position en comptant jusqu'à 3.

3 D'un seul mouvement, en prenant appui sur le pied postérieur et en décollant le pied antérieur du sol, recommencez. Comptez jusqu'à 3. Répétez 3 fois cet enchaînement. Changez de jambe et exécutez à nouveau 3 enchaînements. Respirez naturellement en permanence.

PROGRÈS DE TAI : BILAN FINAL

J'étais très triste d'achever le programme avec Tai. J'étais convaincue qu'elle continuerait à progresser dans la connaissance de la méthode Pilates aussi longtemps qu'elle déciderait de l'étudier. Nos dernières séances ont été consacrées à la pratique de deux mini-séances auxquelles elle se livrerait chez elle, l'une portant sur les abdominaux, l'autre sur les Coups de pied sur un côté (*p. 156–157*). Elle tenait plus particulièrement à entretenir la nouvelle musculature de ses jambes et à dynamiser son foyer énergétique. Elle avait compris que des bras et des jambes musclés sont bien peu de chose sans un tronc solide à partir duquel les mouvoir.

Elle aborda notre dernière semaine comme l'ultime foulée d'une course : elle travailla plus dur que jamais. Un fossé séparait ses mensurations du début du programme de celles de la fin. À notre tour, nous pouvions constater ce que Joseph Pilates a dû observer très souvent, à savoir qu'avec régularité et assiduité, sa remarquable méthode peut remodeler n'importe quel corps. Évidemment, les efforts déployés par Tai n'y étaient pas étrangers. Un peu empâté au départ, son corps, à la peau lisse, était porté par de longues jambes minces et musclées qui mettaient en valeur une taille plus fine, au point de faire littéralement tourner les têtes.

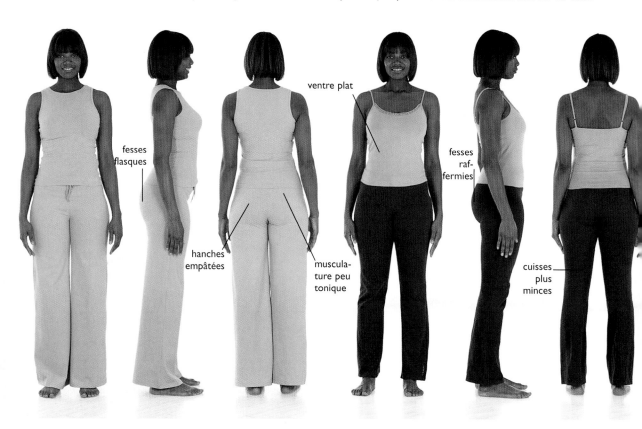

▲ **Avant** Au départ, les mensurations de Tai étaient les suivantes : taille 75 cm ; tour de hanches : 105 cm ; haut des cuisses : 65 cm ; bas des cuisses : 52,5 cm. Les muscles de ses jambes étaient mal dessinés, de même que sa taille et ses hanches étaient empâtées

▲ **10ᵉ semaine** Nouvelles mensurations : taille : 70 cm ; tour de hanches : 100 cm ; haut des cuisses : 59,5 cm ; bas des cuisses : 44,5 cm. L'amélioration de sa posture évoquait chez elle un corps élancé et souple.

COMMENTAIRES

Pour consolider les progrès accomplis, j'ai demandé à Tai quels exercices elle avait trouvé les plus difficiles à exécuter au cours de nos premières séances. Elle ne m'en cita qu'un, l'Étirement jambe tendue (*p. 80–81*). Dotée alors d'une musculature des jambes relativement faible, elle éprouvait des difficultés à les étendre. Or, à la fin de notre ultime séance, elle exécuta aisément cet exercice. Voici des exemples des progrès réalisés.

▶ **Coup de pied unilatéral**
Au début du programme, les quadriceps (muscles de la cuisse) de Tai étaient si contractés que son amplitude de mouvement durant cet exercice (*p. 92-93*) était très limitée (*voir en haut, Avant*). À la 10ᵉ semaine, l'étirement avait augmenté au point que je pouvais lui enseigner une variante : décoller sa cuisse du tapis, et ce sur toute sa longueur, à chaque coup de pied (*voir en bas, 10ᵉ semaine*)

Avant

10ᵉ semaine

Avant

10ᵉ semaine

▲ **La gageure** Tai entama le programme par la Préparation à la gageure (*p. 84*) et passa à la Gageure unilatérale (*voir ci-dessus*) quelques semaines plus tard. Les trois dernières semaines, nous avons intégré la Gageure bilatérale (*voir à droite*). Au début, je l'ai aidée à assimiler cet exercice, car elle ne parvenait pas à l'exécuter seule.

PROGRAMME POSTURAL ET D'ASSOUPLISSEMENT

Souvent, la première chose qu'on remarque chez quelqu'un est sa posture ; or, les personnes qui respirent l'équilibre évoquent souplesse, élégance et confiance en soi.

Mais avoir un "bon maintien" ne consiste pas simplement à savoir se tenir droit.

La souplesse du corps s'impose, car elle permet étirements, flexions et torsions sans risque de traumatisme, ainsi que de se mouvoir au meilleur de la forme. Astreignez-vous à trois séances par semaine, et ce programme enseignera à votre corps un port altier et des mouvements gracieux.

APERÇU DU PROGRAMME

Le "film" ci-dessous présente la série d'exercices constituant le programme postural et d'assouplissement. Au début, vous assimilerez ceux qui dynamisent le foyer énergétique, conférant ainsi à vos muscles l'endurance nécessaire pour pratiquer des enchaînements plus complexes. Commencez par le programme de base puis, tout en intégrant de nouveaux exercices durant les 10 semaines, exécutez-les dans l'ordre ci-dessous. Cette approche vous mobilise en permanence et fait travailler tous les muscles.

Échauffement
(p. 20-21)

Déroulez vos vertèbres
(p. 22-23)

Enroulez vos vertèbres
(p. 114-115)

Rotations d'une
jambe (p. 24-25)

Étirement des jambes tendues
(p. 128)

Entrecroisement
(p. 129)

Étirement dorsal vers l'avant
(p. 32-33)

Balancement, jambes
écartées (p. 130-131)

Torsion rachidienne
(p. 138-139)

Coups de pied en avant sur le
côté (p. 118-119)

La gageure
(p. 120-121)

Nagez
(p. 144-145)

DÉROULEMENT DU PROGRAMME

Pour que vous vous y reportiez, votre programme personnel commence en 2ᵉ semaine ; à partir de là, toutes les trois semaines, vous ajouterez un groupe – codé d'une couleur propre – d'exercices nouveaux.

Livrez-vous à tous ceux du programme de base, codés en jaune. À partir des 2ᵉ, 3ᵉ et 4ᵉ semaines, intégrez ceux codés en bleu. Ensuite, passez à ceux des 5ᵉ, 6ᵉ et 7ᵉ semaines, codés en rose et, enfin, exécutez ceux des 8ᵉ, 9ᵉ

et 10ᵉ semaines, codés en vert. Pratiquez ces exercices dans l'ordre indiqué ci-dessous en ajoutant, toutes les trois semaines, ceux d'un nouveau code chromatique.

Partez du début et allez de gauche à droite de cette double page. Exécutez tous les exercices que vous avez assimilés et "sautez" ceux qui ne vous ont pas été enseignés. Votre objectif est de couvrir la totalité du programme en 10 semaines. Prenez l'habitude de passer en revue les zones corporelles qui ne travaillent pas afin de les solliciter.

Roulez comme une balle
(p. 26-27)

Étirement d'une jambe (p. 28-29)

Étirement des jambes
(p. 30-31)

Étirement, jambe tendue
(p. 116-117)

Le tire-bouchon
(p. 142-143)

La scie
(p. 132-133)

Préparation au plongeon du cygne
(p. 134-135)

Traction cervicale
(p. 136-137)

La sirène
(p. 146-147)

Le phoque
(p. 122-123)

Ramer I : à hauteur de la poitrine (p. 148-149)

Ramer II : à hauteur des hnaches (p. 150-151)

Mur I et II
(p. 124-125)

SEMAINES

DEUX, TROIS, QUATRE

Le programme portant sur la souplesse commence par une attention particulière accordée au foyer énergétique. Cela garantit qu'au moment où tous les muscles ont acquis cette qualité, ceux de l'abdomen et de la région lombaire se sont suffisamment développés pour les soutenir.

ENROULEZ VOS VERTÈBRES

Cet exercice est le prolongement naturel de celui intitulé Déroulez vos vertèbres (*p. 22–23*), proposé dans la première semaine du programme de base. Outre le fait d'enrouler et dérouler votre colonne vertébrale, il vous permet d'acquérir la maîtrise de vos muscles abdominaux.

1 Allongez-vous sur le dos, jambes jointes et genoux légèrement plés. Placez vos talons en appui prononcé sur le tapis, pieds relevés, orteils dirigés vers le haut. Mains plaquées sur les cuisses, inspirez et rentrez le ventre en décollant tête et épaules du sol, ou autant que vous le pouvez.

genoux et pieds joints

relevez-vous en partant du foyer énergétique

ne voûtez pas les épaules

2 Relevez-vous en enroulant vos vertèbres l'une après l'autre. Si nécessaire, aidez-vous de vos mains, mais efforcez-vous de ne pas compter sur elles. Ce faisant, imaginez que votre taille se creuse. Continuez à presser vos jambes l'une contre l'autre. S'ils sont crispés, muscles du dos et des jambes rendent cet exercice assez ardu. Casey avait des difficultés, aussi l'ai-je aidée à contracter ses abdominaux plus efficacement. Chez vous, votre canapé procure le même soutien (*voir Remarques, ci–dessous*).

ventre rentré

coudes écartés

3 Expirez en enroulant vos vertèbres vers l'avant, tandis que vos genoux se déplient totalement. Tout en gardant les pieds relevés, aidez-vous de vos mains pour accentuer l'étirement. Continuez à rentrer le ventre. Maintenant, déroulez vos vertèbres, l'une après l'autre, sur le tapis en pliant les genoux tandis que vous revenez à votre position de départ. Recommencez 5 à 8 fois.

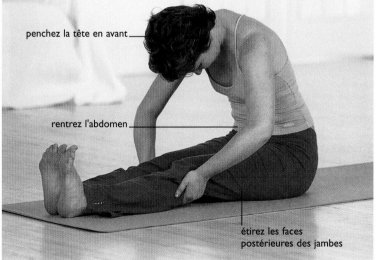

penchez la tête en avant

rentrez l'abdomen

étirez les faces
postérieures des jambes

REMARQUES

• **Utilisez vos meubles.** Si vous avez du mal à garder vos jambes en contact avec le tapis, bloquez-les sous le bord de votre canapé ou d'un meuble pesant.

• **Dès que vous maîtrisez** cet exercice, essayez de l'exécuter jambes constamment tendues.

• **Quand vous rencontrez** une difficulté, ralentissez et rentrez plus fortement le ventre.

• **Restez détendue** pour éviter toute tension musculaire dans le haut du corps.

• **Ne vous aidez plus** de vos mains – à mesure que vous gagnez en force, elles doivent glisser le long des cuisses, et non soutenir votre effort.

• **Fixez-vous un objectif.** Vous devez exécuter cet exercice comme Ereka (*p. 40-41*), mais sans vous servir du Cercle Magique.

ÉTIREMENT JAMBE TENDUE

Cet enchaînement, qui porte aussi le nom de "Ciseaux", est exécuté par chacune de nos démontratrices, mais d'une manière légèrement différente, en fonction de leurs programmes respectifs. Le but étant d'augmenter la souplesse, le choix de ce mouvement est évident. Ici, vous devez solliciter non seulement votre foyer énergétique, mais aussi certains muscles dorsaux.

1 Allongée sur le dos, ramenez vos genoux sur votre poitrine tout en regardant votre taille. Tendez une jambe vers le haut en la saisissant avec la main, et étirez l'autre en la décollant légèrement du tapis. Pieds relevés, rentrez fortement l'abdomen. Inspirez tout en tirant la jambe vers vous en 2 temps brefs.

placez vos mains comme indiqué

levez les coudes

talons tendus vers le haut _____

tendez la jambe _____

2 Expirez en changeant de jambe.
Reprenez ce mouvement de
"Ciseaux", chacune de vos jambes
étant alternativement ramenée vers
vous. Au moment où elle redescend,
imaginez que la zone antérieure de
vos hanches se relâche. Tandis qu'elle
remonte, relevez le pied un petit peu
plus qu'avant, comme si, de vos
calcanéums, vous exerciez une
pression sur un objet. Reprenez
4 à 5 fois cet enchaînement, mais à
cadence modérée.

TRAVAIL PERSONNEL
ÉTIREMENT DES JARRETS

Remarquable chez soi ou au bureau,
cet étirement contribue à délier les
muscles des faces postérieures des
jambes. Prenez un siège bas puis,
debout devant lui, un pied dessus,
gardez les jambes tendues et relevez,
si possible, le pied posé sur le siège.
Placez les mains sur le dessus de
votre cuisse pour garder l'équilibre et
penchez-vous en avant. Cambrez-
vous à hauteur des lombes pour que
vos fesses saillent. Maintenez cette
position 15 secondes. Détendez-vous
et répétez ce mouvement 2 à 3 fois.
Changez de jambe et recommencez.
Réservez cet exercice à vos jours de
repos ou à la fin de votre séance.

COUPS DE PIED AVANT SUR LE CÔTÉ

Ici, cet exercice sert à tonifier et étirer les muscles des hanches et des jambes. Cette variante a surtout pour but d'améliorer la souplesse, mais elle développe aussi un très bon sens de l'équilibre. Elle s'assimile aux pratiques d'oxygénation – "aérobic" – très en vogue durant les années 80 ; il faut savoir que, 60 ans plus tôt, Joseph Pilates les utilisait déjà avec ses élèves.

1 Allongez-vous sur le côté, jambes tendues vers l'avant et formant un angle de 45° avec le reste du corps. D'une main, soutenez votre tête et placez l'autre derrière elle. Imaginez que vous vous regardez du plafond ; placez vos épaules et vos hanches dans le même plan vertical. Levez légèrement la jambe du dessus et faites pivoter le talon vers l'avant.

coude dirigé vers le plafond

abdomen rentré

hanches dans un plan vertical

2 Lancez la jambe du dessus vers l'avant, cela en deux temps, et sans nuire à votre posture de départ. Ne basculez pas en arrière. Pour éviter la tendance à décoller la jambe du dessous par rapport au tapis, rentrez le ventre aussi fortement et autant que possible.

ne regardez pas le sol

jambes parallèles au tapis

tronc immobile

jambe bien tendue

REMARQUES

• **Ne faites pas basculer** votre corps d'avant en arrière. Mobilisez votre jambe de manière autonome et maîtrisez vos mouvements à partir de votre foyer énergétique.

• **Étirez** le haut de votre corps quand votre jambe se lance en avant. Ne creusez pas la poitrine.

• **Efforcez-vous de garder** les jambes tendues tout le temps.

• **Pour augmenter la difficulté,** faites pivoter votre jambe vers l'extérieur. Pour changer, posez votre main sur le tapis (p. 82).

• **Faites le maximum**, voire même davantage – ne trichez pas en lançant votre jambe.

• **Relevez le pied** pour accentuer l'étirement. Gardez les orteils relevés et le talon en extension, mais la jambe tendue.

3 Ramenez votre jambe en arrière et vers le bas, en l'étendant. Tout en donnant des coups de pied vers l'avant, en 2 temps brefs, avant d'étirer fortement votre jambe vers l'arrière, relevez le pied. Recommencez 8 à 10 fois en gardant le haut de votre corps immobile. Changez de côté et reprenez. Respirez naturellement.

LA GAGEURE

Cet exercice est devenu synonyme de Pilates. De fait, sur le plan dynamique, il a quelque chose d'impressionnant, mais ne vous laissez pas intimider par lui. Ce mouvement de base élimine la peur et, pour exécuter le travail, sollicite les abdominaux, non les muscles des jambes. Si vous le trouvez trop difficile, essayez la Variante de la gageure (*voir encadré, page ci-contre*).

1 Roulez sur le dos, jambes levées, genoux pliés et bras tendus derrière vous au-dessus de la tête. Inspirez, puis levez successivement bras, tête et épaules, en contractant les abdominaux tandis que vous vous relevez vers l'avant.

cuisses et mollets forment un angle droit

pressez vos cuisses l'une contre l'autre

pour vous relever, rentrez le ventre

bras tendus

poitrine soulevée

pressez les cuisses l'une contre l'autre

2 Expirez tandis que vous vous asseyez en gardant les genoux pliés. Pour vous relever, sollicitez votre foyer énergétique plutôt que vos cuisses. Résistez à la tentation d'étendre les jambes jusqu'à ce que vous soyez complètement assise, dos droit. Maintenez la courbure en C de votre région lombaire, même si vous êtes assise comme indiqué. Revenez à la position de départ et recommencez 3 fois.

3 Une fois prête et parvenue à l'apogée de ce mouvement, essayez d'étendre les jambes à 45° par rapport au sol. Descendez lentement, progressivement en déroulant avec précision vos vertèbres, comme si le haut de votre corps s'éloignait de vos jambes. Exécutez 2 séries comportant chacune 3 répétitions de cet exercice. Reposez-vous un instant avant de passer d'une série à l'autre.

étendez les jambes, mais ne contractez pas les muscles des cuisses

inclinez-vous en partant du coccyx

TRAVAIL PERSONNEL VARIANTE

Pour maîtriser le mouvement descendant de la Gageure, servez-vous d'une bande de tissu, d'une serviette ou d'une ceinture. Asseyez-vous, dos droit, genoux pliés, puis glissez l'accessoire sous vos plantes de pieds. Étendez les jambes dans la position indiquée et assurez votre prise. Sachez que vous devrez peut-être réduire le mou. Ensuite, descendez lentement en déroulant vos vertèbres l'une après l'autre en faisant glisser vos mains le long de l'accessoire. Réservez cet exercice à vos jours de congé, ou à la fin de la séance.

LE PHOQUE

Les mouvements consistant à enrouler et dérouler la colonne vertébrale sont une composante majeure du programme Pilates ciblé sur la souplesse et la tonification des abdominaux. Afin d'obtenir des résultats optimums en cas de contractures musculaires dorsales, ralentissez la cadence.

1 Asseyez-vous à l'extrémité du tapis afin d'avoir suffisamment de place pour rouler en arrière. Équilibrez-vous sur les ischions et incurvez votre coccyx. Glissez vos mains entre cuisses et mollets, puis saisissez vos chevilles. Vos pieds doivent être largement décollés du sol.

Joignez les talons et écartez les pointes de vos pieds.

genoux écartés
d'une largeur
d'épaules

2 Pour rouler en arrière, vos abdominaux doivent entamer le mouvement, tandis que vos hanches se courbent. Veillez à basculer sans à-coups vers la base de vos omoplates. En même temps, gardez les genoux pliés, mais sans crispation, pour que vos pieds soient presque à l'aplomb de votre tête. Inversez le sens de basculement pour retourner à la position de départ, en équilibre sur les ischions durant un instant. Recommencez 8 à 10 fois.

la tête ne doit pas toucher le tapis

basculez jusqu'à la base des omoplates

TRAVAIL PERSONNEL LA CHARRUE

Cet exercice, inspiré du yoga, associe étirement et immobilité. Il consiste à respirer et à rester dans la position indiquée pour étirer et délier les muscles dorsaux. Allongée sur le tapis, utilisez les mains comme soutiens de vos hanches. Étendez les jambes au-dessus de vous en direction du mur situé derrière. Si votre corps vous le permet, détendez les genoux en les amenant sur le tapis, près des oreilles. Vos bras doivent reposer à plat sur le sol. Gardez cette position 30 à 60 secondes. Abaissez peu à peu les hanches vers le sol et étreignez les genoux contre la poitrine. Réservez la Charrue aux jours de congé ou à la fin de la séance.

LE MUR I ET II

Afin de corriger les mauvaises habitudes posturales, le Pilates utilise une technique appelée "imprégnation", qui consolide physiquement un schéma psychomoteur par la pratique d'une attitude correcte. Or, à ce propos, cet exercice, excellent outil développant la conscience posturale, doit être exécuté quotidiennement.

MUR I

Appuyez-vous debout, dos droit, des fesses au crâne, contre un mur lisse, pieds éloignés de celui-ci d'environ 30 cm. Rentrez l'abdomen et sensibilisez-vous à l'étirement de votre colonne vertébrale. Tout en vous astreignant à garder la nuque droite, renvoyez vos épaules en arrière. Restez 15 à 30 secondes dans cette position. Respirez naturellement.

épaules en appui

cage thoracique détendue

abdomen rentré

TRAVAIL PERSONNEL ROTATIONS DES ÉPAULES

Cet exercice augmente la mobilité des épaules, améliorant ainsi la posture. Au début, exécutez ces rotations à titre d'échauffement, avant de pratiquer le Mur I et le Mur II. Enfin, réservez-le à vos jours de congé ou quand vous le souhaitez. Procédez ainsi : debout, dos droit, haussez les épaules en direction de vos oreilles, en les déplaçant vers l'avant. Puis faites-leur décrire des cercles, en les abaissant, et en les renvoyant en arrière avant de recommencer. Exécutez 5 rotations, et cela dans le même sens.

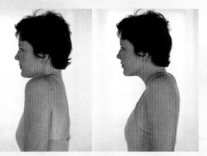

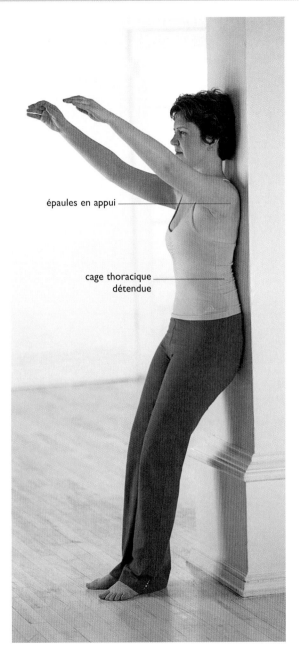

épaules en appui

cage thoracique
détendue

regardez droit
devant vous

nuque droite

bras dans le
champ visuel

MUR II

1 En partant de la station debout – Mur I – levez les bras tendus devant vous, un peu plus haut que votre tête. Ce faisant, veillez à garder la posture acquise. Rentrez l'abdomen tout en renvoyant les épaules en arrière, vers le bas. Respirez naturellement.

2 Quand vos bras arrivent légèrement au-dessus de votre tête, faites-leur décrire un arc de cercle vers le bas et le devant de vos cuisses. Gardez-les toujours dans votre champ visuel. Exécutez 3 répétitions de cet enchaînement, puis changez de sens, en allant du devant des cuisses jusqu'au-dessus de votre tête.

PROGRÈS DE CASEY : BILAN PARTIEL

POINT DE VUE DE CASEY

"Je connaissais déjà un peu la méthode Pilates. J'ai décidé de ne rien changer à mon régime alimentaire, mais j'ai renoncé à mon cours de danse, continuant néanmoins d'utiliser ma bicyclette. Après m'être efforcée, en vain, d'atteindre mes orteils (jambes tendues), je considère la souplesse comme un facteur important — mais je désire aussi être à mon avantage en maillot deux pièces. Jusqu'ici, je n'avais jamais ressenti de douleur, hormis des brûlures au niveau de l'estomac lors d'exercices abdominaux. J'ai trouvé la première semaine assez facile, mais le vrai travail a commencé à la première séance de photographie. Alycea voulait que je renvoie les épaules en arrière. Or, rien ne m'indiquait que ma poitrine et mes épaules étaient si raides, au point que je pouvais à peine les mouvoir. Je travaille dur, mais c'est formidable."

APPRÉCIATIONS D'ALYCEA

Casey avait un gros handicap : l'articulation de sa colonne vertébrale. Chez beaucoup de gens, la mobilité rachidienne est suffisante pour qu'ils exécutent les exercices d'enroulement / déroulement des vertèbres le premier jour — même s'ils présentent des raideurs dans les jarrets — ce qui n'était pas son cas. Pour elle, le mouvement Enroulez vos vertèbres (p. 114–115) était très ardu, puisqu'il lui était absolument impossible de le pratiquer sans à-coups. Elle se relevait par saccades, le dos presque droit et les abdominaux flasques. Quand on lui demandait de se courber en avant, ses jarrets et ses mollets raides l'en empêchaient.

En dépit de ce handicap, elle était une élève assidue, et elle s'astreignait au travail personnel avec un sérieux quasi religieux. Elle assimilait vite et jouissait d'une bonne condition physique. Les positions qu'elle prenait étaient toujours agréables à regarder. Durant cette période, la majeure partie de notre travail portait essentiellement sur la mobilisation de son rachis lombaire. Pour atteindre nos objectifs, nous conjuguions musculation, étirement et travail personnel. À la fin de cette première phase, il y avait de substantiels progrès, mais je m'inquiétais quant à la manière dont nous procéderions au cours des deux phases suivantes. Pourtant, à l'issue des quatre premières semaines, nous étions prêtes à aller de l'avant.

PROGRESSEZ

Si vous pouvez répondre "oui" aux questions ci-dessous, passez au 10 exercices suivants :

Votre environnement est-il adapté ? Vêtements, température ambiante et humidité influencent la réaction de votre organisme à l'effort physique. Au début de votre séance, échauffez-vous et hydratez-vous suffisamment.

Avez-vous assimilé la notion d'enroulement/déroulement de votre rachis ? Lors des exercices nécessitant ce type de mouvements, vous devrez peut-être vous aider de vos mains ou placez vos pieds sous un meuble pour les exécuter avec fluidité.

Maîtrisez-vous le Mur I et II ? Prenez l'habitude de le pratiquer quotidiennement pour rappeler à votre colonne vertébrale ce que signifie "se tenir droit" pour vos muscles.

Vous mobilisez-vous efficacement ? Les mouvements limités et rapides ne font pas les muscles souples et déliés. Donnez de l'amplitude à chaque mouvement au lieu de le restreindre.

COMMENTAIRES

Casey était ravie de constater qu'elle s'améliorait dans certains domaines. C'était le cas de l'Échauffement (*p. 20–21*), qui lui permettait d'étendre complètement les jambes. Par contre, dans l'Étirement jambe tendue (*p. 116–117*), il lui était impossible de relever les pieds en raison de raideurs musculaires, ce qu'elle parvenait à faire au bout de trois semaines. Enfin, pendant l'exécution de la Gageure (*p. 120–121*), elle n'avait plus besoin que je l'aide.

◀ **Rotations d'une jambe** Ses lombes et ses jarrets étant raides, Casey devait modifier cet exercice. Travailler avec l'autre genou plié l'aida à trouver son foyer énergétique. À la longue, elle réussit à étendre l'autre jambe.

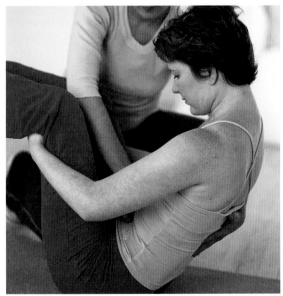

▲ **Roulez comme une balle** Les muscles de Casey étaient si contractés qu'il lui était impossible de basculer en avant ou en arrière. Nous avons assoupli sa musculature lombaire en la mettant en équilibre sur les fessiers, et le bassin renvoyé en arrière pour accentuer l'étirement.

▲ **Étirement dorsal** Pour délier vos muscles para-vertébraux, asseyez-vous genou gauche plié, main droite sur le tapis, et faites passer, en la pliant, la jambe droite au-dessus de la gauche. Posez le bras gauche en amont du genou droit et tournez-vous à droite. Recommencez de l'autre côté.

SEMAINES

CINQ, SIX, SEPT

Si vous suivez ce programme régulièrement, votre souplesse et votre posture doivent s'être

considérablement améliorées. Au cours des trois semaines qui viennent, les exercices vont se compliquer,

chaque mouvement portant à la fois sur la souplesse musculaire et le maintien du haut du corps.

ÉTIREMENT DES JAMBES TENDUES

Cette variante du même exercice (*p. 90–91*) aidera les personnes dont les lombes et les
jarrets sont raides. En plaçant les mains d'une certaine manière (*voir ci-dessous*), à la
base du rachis, vous ferez travailler vos abdominaux plus facilement.

jambes en position de Pilates

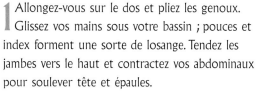

Joignez pouces et index des deux mains comme indiqué ci-dessus.

regardez devant vous

coudes écartés et poitrine dégagée

rentrez le ventre

1 Allongez-vous sur le dos et pliez les genoux.
Glissez vos mains sous votre bassin ; pouces et
index forment une sorte de losange. Tendez les
jambes vers le haut et contractez vos abdominaux
pour soulever tête et épaules.

2 Inspirez et abaissez les jambes à 45°. Expirez et
ramenez rapidement vos jambes vers vous tout en
rentrant plus fortement le ventre. Répétez 5 à 8 fois ce
mouvement de montée et de descente. Passez
directement à l'Entrecroisement (*voir ci-contre*).

ENTRECROISEMENT

Cet exercice est le dernier de ceux consacrés aux abdominaux. Maintenant que nous avons échauffé le grand droit et le transverse de l'abdomen, le moment est venu de faire travailler les obliques. L'objectif est d'achever cette série de mouvements.

1 Placez rapidement les mains derrière votre tête, l'une sur l'autre, et sans croiser les doigts. Pliez une jambe en la ramenant vers votre poitrine, et dirigez vers elle le coude opposé, jambe et bras étant alignés. Restez ainsi en comptant lentement jusqu'à 3.

REMARQUES

- **Maîtrisez votre descente.** Si vos abdominaux saillent lorsque vous baissez les jambes durant l'exercice précédent, vous êtes descendue trop bas. Relevez les jambes avant de poursuivre.
- **Allez lentement.** Force et endurance ne s'acquièrent qu'à la faveur de mouvements maîtrisés et précis. Ne vous précipitez pas.
- **N'abandonnez pas.** Dernier exercice destiné aux abdominaux – efforcez-vous d'aller jusqu'au bout avant de vous reposer.
- **Enchaînez.** Entre les deux exercices, changez de mains dans la foulée, et rapidement.
- **Synchronisez élévation et torsion,** quand vous montez plus haut et que votre coude coupe l'axe du corps pendant l'exercice.

étendez la jambe à 45°

dégagez le coude vers l'arrière

2 Changez de jambe en faisant légèrement pivoter votre corps de l'autre côté. Pour faire travailler la région de la taille, tirez votre genou vers vous et amplifiez la rotation du haut du corps. Respirez naturellement et continuez à changer de côté sans oublier de maintenir la position en comptant lentement jusqu'à 3 à chaque répétition. Recommencez 6 fois, lentement, en vous reposant si nécessaire.

le bas de l'épaule doit décoller du tapis

BALANCEMENT, JAMBES ÉCARTÉES

Voici un autre exercice qui, basé sur le basculement du corps, est destiné à délier les muscles de la région lombaire et à étirer les faces postérieures des jambes. Selon vos aptitudes, exécutez les mouvements des phases 1-2, puis des phases 3-4, ou passez directement aux mouvements 3-4.

1 Partant de la position assise, inclinez-vous vers l'arrière et tirez vos chevilles vers vous. Vos genoux doivent être écartés d'une largeur d'épaules, permettant à vos mains d'atteindre les chevilles. Levez les pieds progressivement et placez-vous en équilibre sur le coccyx. C'est la position de départ pour les mouvements préparatoires à l'exercice proprement dit.

écartement des pieds supérieur à une largeur d'épaules

ne déformez pas le rectangle de Pilates

tendez jambe et pied autant que possible

rentrez le ventre à l'extension

2 Repliez la jambe dans sa position de départ en maîtrisant ce mouvement, puis étendez l'autre et pliez-la à nouveau. Répétez 2 fois cet enchaînement en expirant quand vous l'étendez et en inspirant quand vous la repliez. À chaque extension, et pour garder la poitrine haute, rentrez davantage le ventre. Quand vous êtes prête, passez aux phases 3 et 4.

pieds légèrement plus éloignés que la largeur d'épaules

gardez les bras tendus

3 Pour exécuter cet exercice en totalité, prenez la position de départ — phase 1 (*voir insert*). Expirez et tendez les jambes vers le haut en saisissant fermement vos chevilles. Vous pouvez faire glisser vos mains vers les mollets et garder les genoux légèrement fléchis jusqu'à ce que vous puissiez adopter la position indiquée.

abaissez les épaules et renvoyez-les en arrière

REMARQUES

• **Évitez de prendre de l'élan** quand vous basculez pour retrouver l'équilibre. C'est le moment le plus critique de l'exercice, aussi allez lentement et progressivement.

• **Étirez vos membres.** Travaillez votre foyer énergétique, sans pliures ou mouvements brusques.

• **Ménagez vos jarrets.** Commencez mains placées plus haut sur les jambes, à la base des mollets, puis remontez-les pour adopter la position d'équilibre en saisissant vos chevilles.

• **Contrôlez votre posture.** En basculant vers l'avant, ne laissez pas le haut de votre corps se tasser.

4 Inspirez et incurvez vos vertèbres coccygiennes tandis que vous basculez en arrière vers la base de vos omoplates. Expirez et inversez le basculement pour retrouver votre point d'équilibre, comme en phase 3. Poursuivez ainsi jusqu'à 5 à 8 répétitions.

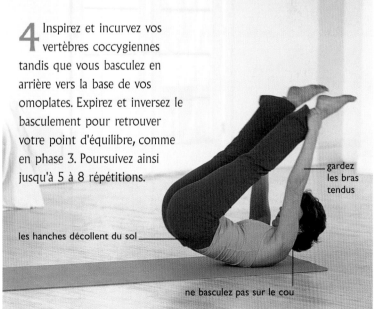

gardez les bras tendus

les hanches décollent du sol

ne basculez pas sur le cou

LA SCIE

Le corps humain s'étire dans maintes directions, notamment vers l'avant, l'arrière et latéralement. C'est ce que nous voulons faire ici, mais en le faisant pivoter simultanément. Chaque fois que vous lui imprimez un mouvement de torsion, imaginez que votre région lombaire est le fond d'un pot, et le haut de votre corps, le couvercle que vous dévissez.

1 Asseyez-vous, dos droit, pieds de chaque côté du tapis et relevés. Étendez les bras latéralement, à l'intérieur de votre champ visuel. Rentrez le ventre et inspirez pour tourner le haut de votre corps d'un côté. Vos hanches doivent rester en appui prononcé sur le tapis.

gardez cette épaule en position basse

gardez la hanche opposée en appui prononcé sur le tapis

torsion de la cage thoracique

REMARQUES

• **Gardez les talons** dans le même plan quand vous pivotez.

• **Rappelez-vous la courbure en C.** Quand votre auriculaire dépasse le petit orteil, veillez à rentrer le ventre – votre dos ne doit pas se courber.

• **Ne marquez pas de paus.e** S'asseoir dos droit est un exercice en soi.

paume tournée vers le corps

l'auriculaire dépasse le petit orteil

2 Projetez votre corps en avant, votre auriculaire dépassant légèrement le petit orteil du pied opposé. Laissez tomber votre tête et jetez un coup d'œil en arrière vers l'autre bras. Étirez-vous progressivement, mais fortement, en gardant les hanches immobiles tandis que vous expirez profondément.

bras dans le champ visuel

orteils fléchis vers vous

3 Inspirez et revenez à votre position de départ, dos droit. Rentrez le ventre sans vous arquer ou dilater la cage thoracique. Étendez bien les jambes sur le tapis et poussez vos talons vers l'avant.

4 Faites pivoter le haut de votre corps dans l'autre sens et projetez-vous vers l'avant en étirant l'autre côté. Alignez vos jambes de telle sorte que vos hanches et genoux ne se tournent pas vers l'intérieur. Étirez-vous vers l'avant, doucement, et déroulez vos vertèbres pour revenir à la position de départ. Répétez 3 ou 4 fois cet enchaînement, en changeant de côté.

PRÉPARATION AU PLONGEON DU CYGNE

Une colonne vertébrale saine est souple et se meut dans tous les sens. Jusqu'ici, notre programme comportait essentiellement des exercices de flexion. Celui-ci consiste en une extension rachidienne. Ce mouvement préparatoire à l'exercice intégral doit être exécuté juste après la Scie (*p. 132–133*).

1 Allongez-vous sur le tapis, visage face lui, et placez les mains à l'aplomb de vos épaules. Pliez les coudes vers le haut, pressez les jambes l'une contre l'autre, et rentrez bien le ventre. Des mains, prenez appui sur le sol et soulevez votre corps aussi haut que possible, en gardant la maîtrise de ce mouvement.

poitrine haute et épaules renvoyées en arrière

2 Décollez les mains du sol et laissez votre corps basculer vers l'avant, dans un mouvement analogue à celui d'une scie. Vos jambes s'élèvent pendant que votre corps se rapproche du tapis, et tandis qu'elles montent aussi haut que possible, vos mains "planent" au-dessus du sol.

coudes tournés vers le plafond

jambes aussi tendues que possible

3 Des mains, et en fin de mouvement, appuyez-vous sur le sol et soulevez à nouveau votre corps pour lui faire adopter la position prise en phase 1. Sans vous arrêter, continuez à plonger comme un cygne. Concentrez-vous après chaque retour de vos jambes au sol. Recommencez 5 à 8 fois. Expirez en descendant et inspirez en montant.

rentrez fortement l'abdomen

coudes flechis

dans cette position, les genoux peuvent s'écarter

le fessier s'abaisse vers les talons

4 Après votre dernière répétition, agenouillez-vous, puis asseyez-vous sur les talons. Étendez les bras devant vous, mains à plat sur le tapis. Cette position est une compensation à l'étirement précédent. Respirez naturellement en comptant plusieurs fois, puis enroulez vos vertèbres pour vous asseoir.

TRAVAIL PERSONNEL ROTATION CERVICALE

Cet exercice est un préambule au Plongeon du cygne. Placez votre corps comme vous le feriez en phase 1, mais soulevez-vous seulement à moitié. Bras et avant-bras formant un angle de 90°, tournez la tête vers une épaule et faites-lui décrire un cercle avant de la ramener à son point de départ. Répétez ce mouvement dans l'autre sens. Exécutez 2 à 3 enchaînements dans chaque sens. Redescendez et asseyez-vous à nouveau sur les talons pour vous étirer comme en phase 4. Pratiquez-la lorsque vous êtes en congé, ou simplement quand vous le souhaitez.

TRACTION CERVICALE

Cet exercice vise maintes cibles différentes. Mais plutôt que d'essayer de les atteindre toutes simultanément, concentrez-vous d'abord sur la manière dont votre colonne vertébrale s'enroule et se déroule. Une fois que vous en avez acquis la maîtrise, vous pouvez reporter votre attention sur d'autres objectifs de ce mouvement.

pieds relevés

courbez-vous davantage

1 Allongez-vous sur le dos, mains posées l'une sur l'autre, derrière votre tête. Vos jambes doivent être écartées d'une largeur de bassin, et vos pieds, relevés. Inspirez en relevant, dans l'ordre, tête, épaules et dos. Expirez et courbez-vous en avant jusqu'à ce que le haut de votre corps surplombe vos jambes.

coudes écartés

cou aligné avec la colonne vertébrale

étirez bien les faces postérieures des jambes

2 Inspirez et redressez-vous en déroulant vos vertèbres l'une après l'autre jusqu'à ce que vous soyez assise dos droit. Appuyez l'arrière de votre crâne sur vos mains pour étirer votre rachis. Contractez les fessiers et imaginez-vous décollant du tapis.

poussez vos
talons vers
l'avant

étirez-vous en
vous inclinant
vers l'arrière

3 Gardez le dos droit et commencez à vous pencher en arrière. Pensez que votre taille s'amincit par les tractions opposées exercées par les deux extrémités de votre corps. Ce faisant, le sommet de votre tête est "tendu" vers le haut, et vos talons se projettent en avant.

REMARQUES

• **Mot-clef : fluidité.** Enchaînez tous les mouvements.

• **Pour garder les jambes** en appui sur le tapis, coincez vos pieds sous un meuble ou portez des haltères de chevilles.

• **Si vous vous surprenez** à vous redresser par saccades, modifiez la position de vos mains : placez les bras le long de votre corps; cela vous aidera.

4 Courbez votre région sacrée et déroulez vos vertèbres quand vos abdominaux commencent à ne plus maîtriser le mouvement descendant. Expirez en abaissant votre colonne vertébrale jusqu'à ce que vous soyez à nouveau allongée sur le sol. Répétez 5 à 8 fois la totalité de cet enchaînement.

coudes bien écartés

rentrez bien le ventre

jambes en appui sur le tapis

TORSION RACHIDIENNE

Cet exercice sollicite vos muscles paravertébraux pour qu'ils s'étirent comme s'ils s'enroulaient autour de votre rachis. Ici, au lieu de projeter votre corps en avant comme dans la Scie (*p. 132–133*), vous le tendez vers le haut en vous concentrant sur l'amélioration de votre posture tandis que vous vous étirez.

1 Assise, dos droit, jambes étendues sur le tapis, placez vos bras latéralement et à l'horizontale. Gardez tête, épaules, taille et hanches dans le même plan. Joignez les jambes et relevez vos pieds. Préparez-vous au mouvement en inspirant, puis expirez en exécutant la torsion d'un côté, et en 2 temps.

gardez les épaules à l'horizontale

paumes tournées vers le sol

gardez les pieds relevés et immobiles

2 Inspirez en revenant à votre position de départ. Mais veillez à ménager votre forme - revenir dans l'axe du corps n'invite pas à faire une pause. Chaque répétition et le temps qui la sépare de la suivante doivent vous faire "grandir" davantage. Avant de recommencer, rentrez bien le ventre.

abaissez les épaules

abaissez cette épaule

gardez la hanche opposée en appui sur le sol

3 Imaginez que votre buste forme un bloc comportant notamment vos bras tendus. Maintenant, faites pivoter le haut de votre corps — au-dessus de la taille — de l'autre côté, en 2 temps, et revenez à la position de départ. Chaque rotation d'un côté, puis de l'autre, doit être énergique. Répétez cet enchaînement 3 à 5 fois.

TRAVAIL PERSONNEL ROTATION AMPLIFIÉE

Pour intensifier l'étirement, glissez un bâton de gymnastique (un manche à balai fera l'affaire, à condition d'en ôter la brosse) derrière vous, comme indiqué. Placez-la en appui contre vos avant-bras ou dans la pliure des bras. Ensuite, en empêchant votre bassin de pivoter, exécutez une lente rotation dans un sens. Seul le haut de votre corps doit tourner. Faites cela 2 à 3 fois dans chaque sens, en maintenant l'étirement durant 10 à 30 secondes chaque fois. Exécutez ce mouvement de rotation amplifiée en station debout ou assise. Réservez cet exercice à vos jours de repos, ou à la fin de votre séance.

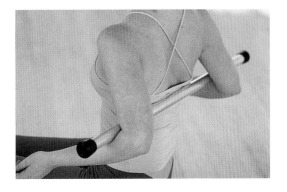

PROGRÈS DE CASEY : BILAN PARTIEL

POINT DE VUE DE CASEY

"Mes amies viennent maintenant me voir parce qu'elles constatent une différence chez moi. J'ai beaucoup gagné en souplesse au point que je peux toucher mes orteils, jambes tendues. J'ai remarqué que mon dos est à la fois plus solide et plus souple. J'aime pratiquer tous les exercices d'étirement; d'ailleurs, je les exécute avec plus de facilité, en particulier la Gageure, qui porte bien son nom.

J'enfile un pantalon dans lequel je ne pouvais plus entrer. Et je suis sûre que j'ai meilleure allure dans un débardeur. C'est fou ce qu'une poitrine dégagée peut faire pour l'apparence physique ! L'autre jour, j'ai été à la plage ; je portais un haut de maillot et un short que j'avais rangé au fond d'un tiroir parce qu'ils étaient devenus trop petits pour moi. Les deux me vont, sans que je sois boudinée dedans ; bref, j'ai retrouvé une ligne formidable !"

APPRÉCIATIONS D'ALYCEA

À l'issue de notre 20e séance, Casey avait fait d'énormes progrès. Non seulement sa taille s'était affinée, mais elle se remodelait. Elle présentait maintenant une courbe harmonieuse. Ses épaules, renvoyées en arrière, lui avaient fait acquérir une meilleure posture et, naturellement, pour la première fois, elle touchait vraiment ses orteils. L'ensemble montrait une silhouette plus élancée et mince qu'auparavant. Cependant, en tant que professeur de Pilates, je me souciais davantage de ce que Casey pouvait faire que de son apparence physique.

L'un des défis majeurs que nous devions relever consistait à tonifier sa musculature profonde pour modifier durablement son corps, car le travail musculaire superficiel ne suffit pas. Si lors d'un exercice, seuls les muscles visibles fournissent l'effort nécessaire, c'est comme si vous trichiez. Casey parvenait parfois à ses fins à la faveur d'un mouvement, mais ne le percevait pas par le biais des muscles adéquats. Pour y remédier, elle devait se mouvoir lentement en analysant ce qu'elle faisait, par la pratique des exercices axés sur l'articulation du rachis et le travail en profondeur des abdominaux, tels que Déroulez vos vertèbres (*p. 22–23*), Enroulez vos vertèbres (*p. 114–115*) et Traction cervicale (*p. 136–137*). À la fin de notre 20e séance, elle a réussi à dérouler / enrouler ses vertèbres correctement, en mobilisant successivement, et de manière fluide, chaque portion de son rachis.

PROGRESSEZ

Si vous pouvez répondre "oui" aux questions ci-dessous, passez au 10 exercices suivants :

Pouvez-vous exécuter tous les exercices destinés aux abdominaux sans faire de pause ? Plus ces muscles seront solides, mieux vous mobiliserez ceux de la région lombaire.

Pouvez-vous augmenter le dynamisme de chaque répétition ? À titre d'exemple, rentrez davantage le ventre chaque fois, ou tirez un petit peu plus la jambe vers vous à chaque répétition d'un mouvement. Évitez de céder à la tentation du confort – rappelez-vous qu'un exercice n'est efficace que dans la mesure où vous faites un effort.

Lors de votre pratique quotidienne, pensez-vous à votre posture ? La beauté du Pilates réside en ce que ses règles et concepts fondamentaux s'appliquent à la vie courante.

Dans les exercices destinés aux abdominaux, vous étirez-vous avec l'aide des bras ? Servez-vous d'eux pour étreindre vos jambes, ce qui augmente votre souplesse.

COMMENTAIRES

Au cours de ces neuf séances nous avons intégré les derniers exercices destinés aux abdominaux et augmenté le nombre des répétitions exécutées par Casey. Elle a rapidement progressé, passant des mains glissées sous le sacrum – Étirement des jambes tendues (*p. 128*) – aux bras croisés sur la poitrine (***voir ci–dessous***). De même, la Préparation au plongeon du cygne (*p. 134–135*), qui débutait par une simple élévation et un abaissement du corps, a été dynamisée pour ajouter un mouvement de scie. Nous avons aussi procédé aux adaptations suivantes, facteurs de progrès.

▲ **Étirement des jambes tendues** Pour cibler son foyer énergétique et mobiliser son rachis, Casey a croisé les bras sur sa poitrine et inversé l'exercice.

▲ **Balancement, jambes écartées** Casey passe une bande de tissu sous ses voûtes plantaires pour exécuter le balancement intégral. La distance plus grande allège la traction sur les jarrets.

◀ **Traction cervicale** Afin que sa colonne vertébrale se mobilise avec fluidité, Casey et moi devions adapter chaque phase de cet exercice (*p. 136-137*). Au lieu d'étendre les jambes et d'écarter les coudes, elle plia genoux et coudes. Enfin, j'ai maintenu ses pieds jusqu'à ce qu'elle se muscle davantage.

SEMAINES

HUIT, NEUF, DIX

Au cours de ces trois dernières semaines, nous testerons vos nouvelles aptitudes. Si vous ne maîtrisez pas totalement l'intégralité de ces exercices à l'issue de nos séances, le fait de les exécuter régulièrement aura un effet spectaculaire sur votre musculature.

LE TIRE-BOUCHON

C'est le type d'exercice idéal pour améliorer souplesse et posture. Tandis que les jambes décrivent de grands cercles, le haut du corps, et en particulier le foyer énergétique, doit maîtriser totalement ces mouvements. Ici, le défi à relever consiste à bien dégager en permanence le thorax et à renvoyer les épaules en arrière.

1 Allongez-vous sur le dos, genoux pliés, bras le long du corps, et paumes tournées vers le sol. Étendez les jambes perpendiculairement au plafond et pressez-les l'une contre l'autre, dans la position de Pilates. Gardez le haut du corps à plat, cou étiré, épaules à la fois en appui et renvoyées en arrière. Tout en inspirant pour vous préparer, rentrez le ventre.

rentrez fortement le ventre

épaules en appui sur le tapis

REMARQUES

- **Imaginez-vous observant** votre posture, et corrigez-la. Pour aligner votre colonne vertébrale, gardez le menton en position basse.
- **Ancrez votre cage thoracique.** Tandis que vos jambes décrivent des cercles, immobilisez votre taille et votre cage thoracique. Vos hanches peuvent se déplacer un tout petit peu, mais au-dessus de la ceinture, votre buste ne doit pas bouger.
- **L'expiration profonde.** Quand vos jambes arrivent en position basse, expirez profondément en rentrant très fortement l'abdomen.
- **Placez vos mains autrement.** Si vous ressentez une tension dans la région lombaire, déplacez vos mains comme indiqué page 128

2 Expirez en déplaçant les jambes vers la droite, haut du corps immobile. Pressez vos talons l'un contre l'autre. Tandis que vos jambes s'inclinent d'un côté, vous devez sentir que la musculature du côté opposé maintient votre thorax en appui sur le sol. Les faces postérieures de vos bras doivent exercer une poussée uniforme sur le tapis.

jambes perpendiculaires au plafond

3 Rabaissez vos jambes à environ 45°, et dans l'axe de votre corps. Résistez à la tendance voulant que vous relâchiez vos muscles abdominaux. Rentrez le ventre autant que possible.

rentrez fortement le ventre

4 Pour achever de décrire le cercle, inclinez vos jambes du côté gauche, puis ramenez-les vers l'axe du corps. Décrivez immédiatement un autre cercle en sens inverse. Continuez à alterner les sens de rotation en exécutant 3 ou 4 enchaînements. Inspirez en effectuant le premier demi-cercle, et expirez sur le deuxième.

NAGEZ

Dans la vie quotidienne, les mouvements alternés sont délicats; nous n'en avons besoin que pour marcher. Dans le programme Pilates habituel, Nagez est l'un des rares exercices qui leur font appel. Commencez lentement et, dès que vous êtes à l'aise avec les mouvements, fixez votre cadence et exécutez l'exercice avec dynamisme jusqu'au bout.

1 Allongez-vous sur le ventre, bras étendus devant vous, et tête levée. Abaissez vos épaules, renvoyez-les en arrière, et dégagez la poitrine. Levez un bras et la jambe opposée en les tendant comme si vous vouliez les éloigner.

étirez le cou sans le crisper

ne déportez pas votre poids d'un côté

2 Changez de jambe et de bras sans marquer de pause. Vous devez être en équilibre sur votre foyer énergétique, bras et jambe, étendus et "planant" au-dessus du sol. Continuez à abaisser les épaules.

regardez devant

jambes rapprochées

contractez vos muscles abdominaux

3 Battez des bras et des jambes comme si vous nagiez. Ce faisant comptez jusqu'à 30. À chaque dizaine, intensifiez votre effort et augmentez la cadence. Pour la première dizaine, ménagez votre confort; puis, durant la suivante, accélérez en levant bras et jambes plus haut; et, pendant la dernière, effectuez des battements aussi rapides et amples que vous le pouvez. Inspirez en comptant jusqu'à 5, et expirez de même.

jambes aussi
droites que
possible

4 Ramenez bras et jambes au sol et asseyez-vous sur les talons pour pratiquer un "contre-étirement". Dans cette position de repos, rentrez fortement le ventre pour l'éloigner au maximum de vos cuisses. Laissez votre tête pendre entre vos bras. Restez ainsi 15 à 30 secondes.

TRAVAIL PERSONNEL ÉTIREMENT THORAX-ÉPAULES

Pour étirer les muscles de ces zones corporelles en utilisant la pesanteur, pratiquez cette jonction inversée des bras. Placez-vous debout, jambes parallèles et écartées d'au moins une largeur de bassin. Penchez-vous en avant, comme si vous vouliez mettre le haut de votre corps à l'envers. Tendez les bras derrière vous, et joignez-les en croisant les doigts. Genoux fléchis, faites décrire progressivement à vos bras un arc de cercle en direction du sol, en les gardant aussi tendus que possible. Si vous ressentez des pincements dans les articulations des épaules, fléchissez les coudes. Si nécessaire, pliez davantage les genoux. Veillez à bien laisser pendre votre tête. Une fois le maximum de l'étirement atteint, restez 10 à 15 secondes dans cette position avant de ramener vos bras à la base de votre colonne vertébrale. Revenez à la station debout en déroulant votre rachis sans à-coups, et décroisez les doigts. Réservez cet étirement à vos jours de congé ou à la fin de votre séance.

LA SIRÈNE

L'étirement latéral est un mouvement peu pratiqué, et donc l'un des plus difficiles à exécuter. Cet exercice permet de mieux solliciter les muscles situés sur le côté, à hauteur de la taille. Une fois étirés et tonifiés, ils permettent au haut de votre corps de se mouvoir plus aisément dans la vie courante.

Placez genoux et pieds les uns au-dessus des autres.

bras tendu

intérieur du bras en appui sur l'oreille

1 Asseyez-vous sur le côté d'une cuisse et ramenez vos pieds contre votre postérieur. Posez une jambe sur l'autre et, d'une main, saisissez la cheville en contact avec le sol. Étendez l'autre bras au-dessus de votre tête et expirez en commençant à plier les jambes. Servez-vous de la main en position basse pour vous étirer davantage latéralement, de l'autre côté. Gardez la tête près du bras en extension.

2 Dépliez les jambes, penchez-vous de l'autre côté, et amenez le bras précédemment levé en contact avec le sol, le coude correspondant étant en appui sur le tapis. Étendez le bras opposé au-dessus de votre tête. Les jambes sont l'une sur l'autre, et le côté de votre taille correspondant au bras levé reste en position haute durant l'étirement. Poussez énergiquement votre bras vers le haut.

doigts dans le prolongement du bras

cage thoracique dilatée

les épaules restent dégagées

poitrine dégagée

3 Saisissez à nouveau, rapidement, vos chevilles, comme en phase 1. Penchez-vous encore plus de côté. Répétez 3 fois en expirant à chaque inclinaison et étirement. Changez de côté et recommencez. Pour habituer Casey à la sensation produite par l'étirement des muscles thoraciques, au début, je l'ai aidée à se pencher latéralement.

REMARQUES

- **Dégagez les côtes.** En vous étirant, sentez chaque côte faire un mouvement analogue à celui d'un accordéon qui se déplie.
- **Haussez votre poitrine** pour la mettre en valeur et étirer les muscles intercostaux. Cela compense l'affaissement du haut du corps vers l'avant.
- **Faites preuve de précision** quant aux positions pour recueillir les bienfaits de cet exercice.

RAMER I : À HAUTEUR DE POITRINE

Cet exercice s'exécute habituellement sur le "reformer", un appareil de l'équipement Pilates.
Étant donné que les pratiquants comptent beaucoup trop sur ses ressorts et câbles, mieux
vaut apprendre ce mouvement en se servant de deux petits haltères. Ramer étire et
développe les muscles des faces postérieures des jambes, des lombes, et dégage la poitrine.

1 Asseyez-vous jambes tendues et jointes. Prenez un haltère de 1 kg dans chaque main et pliez les bras jusqu'à ce que vos coudes soient derrière vous, pour que vos poings soient dans l'alignement de votre poitrine. Inspirez et tendez les bras à 45°, devant vous.

contractez les fessiers

orteils tendus vers l'avant

2 Expirez et tendez progressivement les bras vers le bas, devant vous, jusqu'à ce qu'ils atteignent le côté des cuisses, sans toucher le tapis. Ce faisant, imaginez que votre buste s'allonge pour faire de la place aux bras. Les fessiers restent contracter, et les jambes rentent tendues.

épaules abaissées

étirez les muscles de la taille

REMARQUES

- **Servez-vous de la psalmodie** pour établir une mémoire musculaire : "En haut, en bas, en haut, de côté".
- **La "fermeture Éclair" des jambes.** En faisant travailler les bras, pressez fortement l'intérieur des cuisses l'un contre l'autre. Ne laissez pas vos genoux s'écarter.
- **Une cible : le ciel.** Peu à peu, le buste est de plus en plus droit et étiré à chaque phase. En "ramant", imaginez que le sommet de la tête se rapproche encore plus du ciel.
- **La longueur des bras varie.** Vos bras se rapprochent du sol plus ou moins vite que ceux de Casey.

nuque droite

ne dilatez pas la
cage thoracique

3 Inspirez en relevant les bras
à 45°, comme précédemment.
Ce faisant, continuez à rentrer le
ventre. Tout en levant les bras,
sensibilisez-vous au fait que vos
omoplates s'abaissent. Cela vous
aide à éviter que vos épaules se
voûtent.

4 Expirez en écartant les bras vers le bas et
l'extérieur, aussi près du sol que possible.
Ensuite, repliez-les pour revenir à votre position
de départ, comme en phase 1 (*voir insert*), et
reprenez 3 fois la totalité de cet enchaînement.

continuez à abaisser les bras

RAMER II : À HAUTEUR DES HANCHES

Passez immédiatement de l'exercice intitulé Ramer II: à hauteur de poitrine (*p. 148–149*)
à celui-ci, qui consolide la symétrie posturale et introduit un autre paramètre,
l'articulation de la colonne vertébrale. En exécutant cet enchaînement, n'oubliez
pas de travailler en antagonisme, gage de fluidité dans les mouvements.

1 Prenez vos haltères et asseyez-
vous, dos droit, mains à côtés
des hanches et jambes jointes.
Pour accentuer l'étirement, relevez
les pieds. Courbez-vous en avant,
tête dirigée vers les genoux. Ce
faisant, ne laissez pas vos genoux
fléchir.

les coudes
doivent
être
écartés

creux poplités en
appui sur le tapis

2 Expirez et déplacez vos bras en suivant le tapis, vers vos
talons. Lors de cette extension des bras, les haltères
doivent seulement frôler le sol. Ici, c'est ce que
font les mains de Casey. Courbez davantage le
dos. Laissez pendre votre tête vers l'avant, en
vous efforçant d'incliner plus le haut du
corps.

abaissez et reculez les épaules

3 Commencez à vous redresser en déroulant progressivement vos vertèbres, des plus basses, les coccygiennes, aux cervicales. Épaules et tête sont les dernières à prendre la position assise, dos droit. Les bras, étendus, doivent être parallèles aux jambes.

bras parallèles aux jambes

rentrez le ventre

REMARQUES

• **Opérez en deux temps.** Par souci de facilité, considérez que cet exercice comporte deux phases distinctes. La première s'achève en 3, les bras étant parallèles aux jambes. La deuxième reproduit la fin de Ramer II: à hauteur de poitrine (*p. 148-149*) – les deux mouvements s'achèvent par des demi-cercles exécutés avec les bras.

• **Contrôlez votre profil.** Former un angle de 90° est plus difficile que vous ne pensez: vérifiez votre profil pour vous assurer qu'il est correct. Si vous vous penchez trop en arrière, corrigez-vous et continuez.

• **Imaginez que vos ischions** se rapprochent. Cela vous aidera à exécuter l'élévation du thorax

n'inclinez pas la tête

regardez devant vous

corps et jambes à 90°

4 Expirez et levez les bras en oblique haute. Votre tronc doit former un angle de 90° avec vos jambes, et votre tête, rester droite. Regardez droit devant vous et continuez à rentrer l'abdomen.

5 Faites décrire à vos bras un demi-cercle vers l'extérieur en vous haussant constamment. Ramenez les mains vers les hanches, comme en phase 1 (*voir insert*) et recommencez. Reprenez 3 fois cet enchaînement.

PROGRÈS DE CASEY : BILAN FINAL

Après avoir assimilé 30 séances, Casey avait fait beaucoup plus que s'initier à la nature profonde de la méthode Pilates. Étant donné que son programme s'était axé sur son foyer énergétique, il était un peu plus traditionnel dans son approche et son déroulement que les deux autres. Elle avait parfaitement compris l'ordre dans lequel les exercices se pratiquent et pourquoi certains mouvements sont enseignés avant d'autres. Les progrès que nous avions réalisés ensemble, j'en étais convaincue, lui profiteraient toute sa vie.

Ils m'avaient rendue très fière car, au début, je me demandais jusqu'où nous pourrions aller en 30 séances.

En effet, chaque jour, des gens franchissent la porte de l'atelier Pilates, endurant depuis longtemps leurs problèmes physiques et désirant changer de corps du jour au lendemain. Or, Casey avait pris conscience de ses handicaps et, au lieu de leur restreindre son approche du Pilates, elle abordait cette méthode sur le plan global. Elle en avait intégré l'esprit et les règles à sa vie quotidienne si bien que les résultats s'étaient rapidement manifestés. Étant donné qu'elle prenait le temps de s'étirer et conscientisait sa posture pendant la journée, son corps réagissait très vite. Sa posture s'était considérablement améliorée, et ses gains en souplesse étaient surprenants.

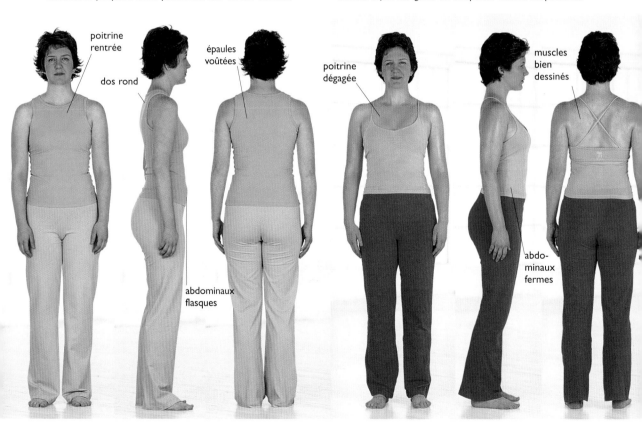

▲ **Avant** Au début du programme, l'aspect physique de Casey était celui d'un sujet rigide à la posture désavantageuse. Ses mensurations étaient de 85 cm pour le buste, 70 cm pour la taille et 96 cm à hauteur des hanches.

▲ **10e semaine** À la fin du programme, sa posture respirait la confiance en soi, son rachis était plus élancé, et ses muscles, toniques et bien dessinés. Ses mensurations étaient de 88 cm pour la poitrine, 68 cm pour sa taille fine et 94 cm pour les hanches.

COMMENTAIRES

Pour apprécier les résultats obtenus au bout de 10 semaines d'un travail ardu, Casey me fit une démonstration de la Traction cervicale (*p. 136–137*). Sa souplesse était étonnante: en flexion, sa colonne vertébrale lui permettait de placer sa tête près de ses genoux. Elle rayonnait de fierté. Nous avons également analysé les deux exercices suivants.

10ᵉ semaine

Avant

▲ **Préparation au plongeon du cygne** Chez Casey, cet exercice (*p. 134-135*) était quasi méconnaissable. La piètre extension de la région lombaire était devenue un mouvement ample et élégant. La mobilité de sa colonne vertébrale s'était améliorée en tous sens.

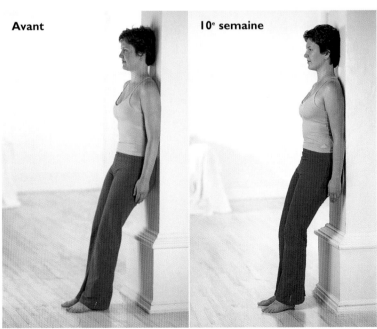

Avant   **10ᵉ semaine**

◀ **Mur I** Pour mesurer l'amélioration de sa posture, j'ai demandé à Casey d'exécuter le premier exercice intitulé Mur I (*p. 124*). Les résultats sont éloquents: lors de la première séance photographique, j'avais dû l'aider à placer ses épaules en appui pour exécuter l'exercice correctement. À la fin de la 10ᵉ semaine, ce n'était plus nécessaire. Sa poitrine et ses épaules s'étaient dégagées d'une manière spectaculaire.

COMPOSEZ VOTRE SEMAINE D'EXERCICES AU SOL

Joseph Pilates détestait qu'on lui demande "À quelle zone corporelle cet exercice est-il destiné ?". "Oncle Jo" répondait toujours ainsi, sur un ton un peu cassant : "C'est bon pour le corps". Plutôt que de le décomposer en zones qui ont, ou n'ont pas, besoin de travailler, le "film" ci-dessous le considère comme un tout. Les bienfaits que l'une recueille s'étendent à tout l'organisme. Ce tableau vivant vous permet d'élaborer une séance Pilates complète.

Échauffement
(p. 20-21)

Déroulez vos vertèbres
(p. 22-23)

Enroulez vos vertèbres
(p. 114-115)

Rotations d'une
jambe (p. 24-25)

Rouler comme une
balle (p. 26-27)

Étirement dorsal vers l'avant
(p. 32-33)

Balancement, jambes
écartées (pp.130-131)

Le tire-bouchon
(p. 142-143)

La scie
(p. 132-133)

Préparation au plongeon
cygne (p. 134-135)

Coups de pied sur un côté
(p. 82-83, 94-99)

La gageure
(p. 120-121)

Le french can-can
(p. 104-105)

Nagez
(p. 144-145)

Appui avant sur une
jambe (p. 64-65)

Le "film" ci-dessous comporte des exercices extraits des trois programmes présentés dans ce livre. Considérés globalement, et conjugués, ces derniers couvrent presque la totalité des exercices Pilates exécutés au sol, sauf les plus complexes.

Une fois que vous maîtrisez votre programme personnel, choisissez des exercices extraits de ce "film" pour les intégrer à votre pratique quotidienne. Intercalez-les dans l'ordre présenté ici. En allant de gauche à droite et de haut en bas, imaginez la séance complète comme un ballet s'inspirant d'une chorégraphie empreinte de fluidité. Enchaînez les exercices sans marquer de pause. À la longue, vos muscles les mémoriseront et vous n'aurez plus besoin de repères visuels.

Les exercices Pilates au sol représentent la méthode — praticable chez soi — de musculation, d'étirement, de tonification et de remodelage la plus complète que je connaisse. Elle ne nécessite aucun équipement et se pratique partout. Le meilleur conseil que je puisse donner est : "Allez, au tapis ! C'est bon pour le corps!"

Étirement d'une jambe (p. 28-29)

Étirement des jambes (p. 30-31)

Étirement jambe tendue (p. 42-43)

Étirement des jambes tendues (p. 90-91)

Entrecroisement (p. 129)

Coup de pied unilatéral (p. 92-93)

Coups de pieds bilatéraux (p. 56-57)

Traction cervicale (p. 136-137)

Pont en appui scapulaire (p. 102-103)

Torsion rachidienne (p. 138-139)

Appui arrière sur une jambe (p. 66-67)

La sirène (p. 146-147)

Le phoque (p. 86-87)

Poussées (p. 46-47)

QUELQUES MINI-SÉANCES

Étant donné que programmer des exercices peut tenir du défi, voici un choix de mini-séances destinées à vous maintenir sur la bonne voie quand vous ne pouvez pas vous livrer à une séance complète. Vous pouvez jeter votre dévolu sur les exercices destinés aux abdominaux, les coups de pied sur un côté, les mouvements concernant les bras, ou ceux à exécuter contre un mur. Faites votre choix et mettez-vous au travail. Chaque mini-séance (effectuée dans l'ordre ci-dessous) ne doit pas vous prendre plus de 5 minutes, ce qui élimine tout prétexte éventuel. Si vous devez passer en revue les explications, reportez-vous à la pagination mentionnée sous chaque photographie.

COUPS DE PIED

Coups de pied sur le côté
(p. 82)

Montez/descendez
(p. 83)

Cercles
(p. 83)

Pédaler
(p. 94-95)

TRAVAIL DES BRAS

Musculation avant des biceps (p. 48)

Musculation latérale des biceps (p. 49)

La fermeture Éclair (p. 50)

Va-et-vient vertical (p. 51)

La boxe (p. 60)

Le battement d'ailes (p. 61)

TRAVAIL DES ABDOMINAUX (SÉRIE DE CINQ)

Étirement d'une jambe
(p. 28-29)

Étirement des jambes
(p. 30-31)

Étirement jambe tendue
(p. 42-43)

Étirement des jambes
tendues (p. 90-91)

Entrecroisement
(p. 129)

Ronds de jambe
(p. 96-97)

Élévations de la cuisse
(p. 98)

Battements de la cuisse
(p. 99)

EXERCICES AU MUR

Ramer I : Va-et-vient
vertical (p. 58)

Ramer I: L'étreinte
(p. 59)

Mur I
(p. 124)

Mur II
(p. 125)

Chaise contre mur
(p. 86)

INDEX

LECTURES CONSEILLÉES

LA MÉTHODE PILATES
Robinson Lynne, Éditions Marabout, 2004
GUIDE DE LA MÉTHODE PILATES
Thorley Louise, Éditions Parragon, 2004
LA MÉTHODE PILATES CHEZ SOI
Stewart Kelling, Le Courrier du livre, 2003
DÉCOUVREZ LA MÉTHODE PILATES
Selby Anna, Éditions de l'homme, 2003
POUR UN DOS EN PLEINE FORME
Stanmore Tia, Éditions Flammarion, 2003
LA TECHNIQUE PILATES
Brignell Roger, Modus Vivendi, 2002
LA MÉTHODE PILATES EN 15 MINUTES
Ackland Lesley, Guy Trédaniel Éditeur, 2001
LA MÉTHODE PILATES EN 10 ÉTAPES
Ackland Lesley, Guy Trédaniel Éditeur, 2001

DANS LA MÊME COLLECTION CHEZ BROQUET

Le massage, une détente du corps et
  de l'esprit, 2004, Larry Costa
Manuel complet de la réflexologie,
  2003, Barbara & Devin Kunz.
Marcher pour être en forme, 2005,
  Nina Barough.
Pilates, 2005, Alycea Ungara.
Taï chi, 2004, Tricia Yu

PUBLIÉS AUSSI CHEZ BROQUET

Tai Chi, 2003, James Drewe, (Collection
  en mouvement)
Yoga, 2003, Liz Lark. (Collection
  en mouvement)
Le guide de la mise en forme, 2003,
  Ann Goodsell.
Soins pour le corps, 2004, Body Shop.

REMERCIEMENTS

REMERCIEMENTS DE L'AUTEUR

Je remercie les personnes suivantes qui ont contribué à la réalisation de ce livre : chez Dorling Kindersley, Mary-Clare Jerram et Gillian Roberts pour leur foi et leur confiance envers moi ; Jenny Jones, pour son extraordinaire patience ; Shannon Beatty pour son dévouement et son souci du détail ; Janis Utton, ainsi que Karen Sawyer et Sara Robin pour leur impeccable maquette. Enfin, merci à Russell Sadur, au talent incroyable, mais aussi à Nina Duncan, intelligente et douée d'un sens aigu de l'humour.

Je suis extrêmement reconnaissante à mon équipe de soutien professionnel, Laurie Liss, de chez Sterling Lord Literistic, ainsi qu'à Kathy Djonlich et Ereka Dunn, de chez D2 Publicity, publicistes charmantes et pleines d'entrain. Merci à mes collaborateurs de Tribeca Bodyworks, notamment à Cristian Asher, pour son indulgence et son don unique de concevoir, organiser, réaliser et arranger absolument tout. Ma gratitude va aussi à Melody Rodriguez et Lisa Wolf pour les heures passées en baby-sitting. Merci à toi maman pour ton affectueuse présence permanente à mes côtés. Et pour rendre ma vie plus agréable, merci à toi, Roberto ; je t'aime.

J'adresse des remerciements tout particuliers à Keren James qui, la première, a eu l'idée de cet ouvrage.

REMERCIEMENTS DE L'ÉDITEUR

Dorling Kindersley souhaite remercier Russell Sadur, photographe, et son assistante, Nina Duncan, Ereka, Tai et Casey, démonstratrices, Tamami Mihara, pour les coiffures et le maquillage, Carissa et Bill, de chez Daylux Studios, New York, Margaret Parrish, pour son aide éditoriale et Peter Rea pour la réalisation de l'index. Merci également à la direction d'Asquith, PO Box 31585, London W11 1ZR (www.asquith.ltd.uk, Tel : + 44 207 792 8909) pour les vêtements de gymnastique et à SweatyBetty, 833 Fulham Road, London SW6 5HQ (www.seatyBetty.com) pour les vêtements et tapis de gymnastique. Copyright © de toutes les illustrations : Dorling Kindersley. Pour de plus amples informations, www. dkimages.com.

À PROPOS DE L'AUTEUR

ALYCEA UNGARO, physiothérapeute diplômée est la fondatrice et la directrice de realPilates@tribeca bodyworks, le plus grand centre Pilates de New York, qui se consacre exclusivement à l'enseignement de la méthode Pilates. C'est à 14 ans qu'elle en entame l'étude à la prestigieuse School of American Ballet, située à New York. Dix ans plus tard, après avoir acquis une compétence croissante en tant qu'étudiante de cette méthode, elle obtient le diplôme de professeur en cette matière, sous la tutelle de Romana Kryzanowska, disciple et collaboratrice de Joseph Pilates désignée pour poursuivre son enseignement. En 1995, elle fonde Tribeca Bodyworks, un atelier destiné à l'apprentissage de ces techniques, aujourd'hui devenues classiques. C'est là qu'elle a personnellement formé Madonna, Uma Thurman, Molly Sims et beaucoup d'autres.

En 2000, elle rédige son premier livre, *Portable Pilates*, puis, en 2002, *Pilates: Body in Motion*, son ouvrage le plus récent (Dorling Kindersley, London). En 2003, elle a collaboré avec Christy Turlington et PUMA® à la création des toutes premières chaussures destinées à la méthode Pilates. Elle habite actuellement New York avec son mari et ses deux filles.